この国は歪んだニュースに溢れている2

日本を覆う8割の絶望と2割の希望

辛坊治郎

PHP

はじめに

２０２３年７月某日、日本を代表する全国紙を読んでいて絶望的な気持ちになりました。なんとそこには、私が「辛坊治郎メールマガジン」などで再三批判し、本書の中でも触れている福井県永平寺町の「日本初のレベル４自動運転の実証実験」なるものが、あたかも世界最高の技術であるかのように掲載されていたんです。それも１面トップを飾る特集記事です。これでは日本でまともな世論が形成されるはずがありません。この記事を読んだ大多数の日本人は「日本の自動運転技術は世界で最も優れている」と勘違いしますからね。

ハッキリ言います。福井県永平寺町で走行している「レベル４の自動運転車」は、かつて上野動物園にあった「お猿の電車」と大差ありません。「お猿の電車」自体、動物虐待ではないかという批判もあって随分前に消滅していますから、知っている人は少数派かもしれませんが、かつて上野動物園にはお猿が運転する（実際はお猿さんが鎖で運転席に繋がれていただけです）電車が子どもたちを乗せて走っていました。福井の実証実験には線路こそありませんが、「レベル４の自動運転車」なるものは、道路に埋め込まれたガイド電線の上を走っています。要するにこの「自動運転車」、根本的には昔からあるゴルフ場のカートと同じ仕組みなのです。これのどこが「レベル4の自動運転」なんだ⁉と思いますが、有名全国紙がそう伝えた瞬間に、国民の大半がそう思い込んでしまいます。この問題、日本の技術力が低いというより、そんな「嘘の自動運転車」しか公道を走る許可を取得できない日本の規制こそが問題の本質なのです。

ちなみにアメリカでも中国でも、地域限定ながら運転者が乗っていない「本物の自動運転タクシー」が公道で営業運転を開始しています。もちろん、道路にガイド電線が敷かれているわけもなく、自動車が自律的に周囲の交通状況を判断しながら客を乗せて他の車や人が普通に行き来する公道を走っているのです。これを知ると、日本の自動運転車の開発と普及がいかに絶望的な地位に落ちつつあるかは誰でもわかります。

しかし、件(くだん)の新聞記事ではそんな日本の現状について国民が気づくことはできません。むしろ気づきの妨げにすらなってしまうのです。新聞が本来伝えるべきは、例えば日本の発展を阻害しているさまざまな規制の現状なのですが、新聞を書いている人の知的レベルの低下なのか、それとも何か営業上の要請があるのか、日本のメディアは現在、物事の本質を伝える役割を完全に放棄してしまっているようです。これでは正しい世論が形成されません。

日本の政治家は世論で動きます。これは民主主義国家として誇るべき点であると同時に弱点です。第二次大戦後のアジアの多くの国がそうであったように、世論の動向を無視して為政者が独裁政権を維持できる国では、独裁者が優れた判断をする限り、民主主義国家より効率よく諸課題を解決できる可能性が生まれます。たとえば現在の中国では人権を無視した独裁政治が続いていますが、何に付けても世論形成が必要な民主主義国家よりも判断は早いです。もちろんこの制度では、代を重ねて優れた人物がトップに立つ可能性が低く、持続可能性には疑問符が付きます。長い目で見たときに、民主政治は独裁政治より優っていると私は信じています。

ところが日本のメディアが正しい世論形成の役に立たなくなってしまっている現状では、政治家は世論(=選挙の行方)を見ながら政治判断を行いますから、結果的に間違った判断を繰り返すことになってしまいます。「日本の自動運転は世界一」と国民が思っている限り、政治家は日本の役所の規制にメスを入れようなんて考えません。こうして日本はどんどん衰退して行くのです。日本の昨今の衰退は、衰退にすら気が付かない民意の結果と言えるかもしれません。その民意を作っているのが、日本のマスコミなんです。

この本は、そんな日本のマスコミによって脳内の隅々まで汚染された人々の頭の中を大掃除するために書きました。正しい情報によって正しい民意が形成され、その民意に従って行動する政治家が諸制度を点検整備して、日本を再び発展軌道に乗せることが必要です。「間違った世論」の中には、「日本は十分発展しているから、今後は発展なんか考えずに余裕をもって生きましょう」的な議論があります。騙されてはいけません。そんな議論の先に待っているのは、病死と餓死です。今はまだ世界的に極めて優れている日本の健康保険制度や医療水準、さらには毎日大量の余剰食物が生ごみに出る日本の現状は、何もせずに持続可能ではないのです。餓死の無い、凍死の無い、病院の玄関先での横死も無い日本は、当たり前に存在するものではありません。

皆さん、今ならまだ間に合います。

どうぞこの書を読んだ皆さんが、マスコミが伝えない日本の現状に気づき、「幸福な未来」に向けて正しい民意を形成することを切に望みます。

辛坊治郎

この国は歪んだニュースに溢れている2

日本を覆う8割の絶望と2割の希望◉目次

第2章　財布から見える社会の変化

第3章 日本や世界を訪ねて見えたこと

第4章　懲りないメディア

この書籍は「まぐまぐ!」(https://www.mag2.com/)より配信中の「辛坊治郎メールマガジン」(2022年11月〜2023年7月)の内容を加筆修正したものです。
また、本書の情報は2023年8月5日時点の情報に基づいています。

カバー撮影/稲治 毅
ブックデザイン/橋元浩明(sowhat.Inc)

第1章

日本を蝕む負の遺産

マイナンバー制度の根本的問題

マイナンバーにまつわる不祥事が噴出しています。

マイナンバーの宣伝文句の一つに「給付金が素早く支給できる」というのがありました。**コロナ対策で全国民に10万円バラまかれた記憶が新しい今、この誘い文句には説得力がありました。**

ところが今噴出している最大の問題、「マイナンバーと銀行口座が適切に紐付けられておらず、家族名義など本人以外の口座登録が10数万件ある」という話には啞然(あぜん)とするしかありません。

他に報じられている「他人の年金記録を見られる」なんていうのも、あってはいけない話ですが、間違って番号が入力されて別人の記録に紐付けられたケースで、「当該人物ひとりが他人（1名）の記録を閲覧できる状態だった」的な特殊な事例ですから、電気器具や車などにつきものの「初期不良」の一種と言えるでしょう。

でも家族であっても他人の情報が10数万人に紐付けられている現状は、根本的なシステムのバグと言うべきです。

現在までにマイナンバーと銀行口座の紐付けが済んでいるのが５０００万件余りで、そのうち10数万件が間違いというのは「初期不良」では済みません。

２０２３年7月に埼玉県所沢市で同姓同名かつ生年月日も同じ全くの別人にマイナンバーを紐付けし、高額介護合算療養費を誤って振り込んだケースがありましたが、このときには「別人に紐付けられたケースが７４８件」あるなんて報道されました。この報道自体が嘘です。７４８件というのは家族以外に行政が誤って紐付けたケースで、これとは別に家族の誰かが他の家族のマイナンバーを自分の口座に紐付けたケースが10数万件あるのです。家族外であろうが家族内であろうが、本人の口座とマイナンバーが紐付けられていないという本質に変わりはありません。政府が問題を小さく見せようと「マイナンバーと本人の口座が間違って紐付けられているケースは７４８件」と発表し、それをそのまま報道するメディアにマイナンバー制度を批判する資格はありません。政府とメディアは「同じ穴のムジナ」と言うべきでしょう。この問題が解消されない限りマイナンバーを使った給付金の支給はできないのです。

政府は、家族名義の登録を本人名義に自主的に変更するように呼び掛けていますが、

10数万人全員がそれに応じて口座変更をするとはとても思えません。

つまり、マイナンバー制度最大の誘引であった「速やかに公的給付を行うこと」には当面使えないわけです。ひどい話です。

10数万人分の誤登録は意図的に行われたはずです。

親が未成年の子どものマイナンバー登録を行う場合、あるいは成人した子どもが老親のマイナンバー登録を代行するようなケースで、将来「国民全員10万円支給」なんて施策が行われた際に、子どもや老親に支給される10万円を自分の口座に振り込ませるために意図的に誤登録が行われたと考えるべきです。

しかし私がマイナンバーと銀行口座を紐付けた際に、「本人以外の口座はダメ」と厳しく指示された記憶は全くありません。誤登録が易々とできてしまうシステム自体が問題ですが、**そもそも「自分以外の口座との紐付けは禁止。発覚の場合は当該口座に給付しない」という指示が徹底されていなかったと思うのです**。

これって完全にシステム開発の不備です。

政府は「戸籍や住民票などで氏名にフリガナが付いておらず、口座をカタカナ表記にしている銀行口座との照合ができなかったので、誤登録とチェックできなかった」

と言いわけしていますす。これは嘘です。

そもそも「家族であっても、別人の口座との紐付けは無効」という根本の指示が登録者に伝わるように制度が設計されていなかったのです。そうでなければ5000万件中10数万件なんて数の誤登録が起きるはずがありません。

今回マイナンバーの設計に際してなぜこれほど大きな「バグ」が生まれたのか？

一つには人材不足による役人の資質低下がありますが、もう一つの理由は「反対がなかったから」だと思うのです。

◆大反対の住基ネットと無関心のマイナンバー◆

マイナンバー制度は1999年に導入された住民基本台帳ネットワークの進化版です。

住基ネット導入時の反対運動はすさまじかったです。当時長野県知事だった田中康夫氏などは、役所内のコンピュータから住基ネットにアクセスして、「情報漏洩の可能性がある」なんて騒ぎを起こしました。

2003年5月、住民基本台帳ネットワークシステム（住基ネット）における個人情報保護策を検討する会議の冒頭であいさつする当時の田中康夫・長野県知事（写真：時事）。

役所のコンピュータから登録情報にアクセスできるのは当たり前で、これらのバカ騒ぎがかえって国民を白けさせ、事態の鎮静化に寄与したのではないかとさえ私は考えています。

そもそも住基ネットに登録されているのは、当時公開情報だった住所氏名年齢などで、たとえそれが流出したとしても、そんなに騒ぐ話ではありません。

今では考えられませんが、昔は子どもが入学、成人等のタイミングで、学用品や着物の宣伝ダイレクトメールが届きました。**住基ネットに登録されている情報は、役所の窓口に行けば元々誰でも閲覧可能なデータだったのです。**

でも当時「日本国民は牛ではない。牛のように国民を番号で管理することは間違いだ」という主張が、国家管理を嫌ういわゆる左翼陣営から出ただけでなく、有名な女性ニュースキャスターだった人を中心とする一部右派陣営も声高に制度を批判しました。

しかし、住基ネットの導入の際はほとんどシステムのバグや「初期不良」もなく、次第に批判は沈静化していきます。

現在のマイナンバー制度は、この住基ネットで構築されたデータに、健康保険証や年金記録、運転免許情報や銀行口座などの個人情報をすべて結び付けようとする施策です。

住基ネット導入のとき「住基ネットはこんな使い方はしない」と、**政府がさかんに主張した「禁忌」をてんこ盛りにしたのがマイナンバー制度**です。

恐らく将来的に、個人が銀行口座を開くときや給料を受け取る際などにマイナンバーが必須とされて、国民の経済生活すべてが日本政府のコンピュータに登録され、それを基に自動的に税金などの徴収が行われることになるでしょう。

為政者はついでに、個人のＳＮＳでの投稿内容なども紐付けて、国民の思想傾向や将来罪を犯す可能性なども知りたいところでしょう。

中国では共産党政府がすでにこれに類することをやり始めています。

民主主義国日本の政府はそこまでやらないと信じていますが、マイナンバー制度は「そんなことをやろうと思えばできる」インフラなのだという認識が必要です。

それにしても、なんの害もない住基ネットにあれだけ反対した勢力が、マイナンバー導入に際して一切反対の声を上げなかったのが不審です。

私の知る限り、件の女性右派論客が住基ネット導入のときのような反対論をぶち上げた記憶は全くありません。目立った反対論がないことに、恐らくマイナンバーを導入した政府自体が拍子抜けしたと思います。

反対運動が起きた住基ネットでは、バグが生じないように細心の注意を払って制度設計が行われたのに、全く反対運動の起きなかったマイナンバーでは調子に乗った頭の悪い役所の人たちが大はしゃぎで「あれもこれも」制度に盛り込みました。

現在の数多（あまた）の初期不良はこうして生じたのだと思います。**関係者を緊張させるという点で、反対運動も時には役に立ちます。**

私は国民に背番号を振ること自体は必要だと考えています。

これだけ人の移動が一般的になった時代に、住所氏名年齢だけで公的記録を管理するのは不可能です。かつての「消えた年金騒動」は、年金記録を住所氏名年齢だけで管理していたことから生じました。

国民が生まれ育った場所で就職して、生涯同じ勤務先で過ごすことを前提に組まれた年金制度なんか、現代社会で機能するわけがありません。国民に番号を振ること自体は必要なことです。

でもね、中国のように、国民から離れたところに存在する権力者が、この番号に国民の思想などを紐付けて管理するようになるのは悪夢です。

マイナンバーに関して大切なことは、政府がこの制度を通じて国民のどんな情報を集めて何に使うかを、国民自身が把握・管理することです。

この把握と管理を政府に全権委任してはいけません。国民自身がマイナンバー制度の支配者になるという意識が大切です。

残念ながら現在のマイナンバーをめぐる報道は、この視点から大きく逸脱しています。長年マスコミで飯を食ってきた私としては本当に忸怩（じくじ）たる思いです。

岸田政権が触れたくない同性婚問題

２０２３年2月4日、荒井勝喜首相秘書官の「同性愛者差別」発言に対する岸田政権の**更迭判断は、今までの岸田政権になく早かったです**。それだけ、この問題が長引いたときの政権に与える影響の大きさを岸田政権は感じていたということでしょう。

岸田政権が最も腐心したのは、この発言がきっかけになって、いわゆる同性婚の問題に火が付くことです。

岸田政権はこの問題について「家族観や価値観、社会が変わってしまう」と述べ、**検討に検討を重ねながら先送りする**方針を固めています。それが、この政権の持続に死活的に重要だとわかっているからです。

岸田政権の支持率は、調査機関によってバラつきはありますが、おおむね30%台以上を維持しています。誰がこの政権を支持しているのかと言うと、安倍長期政権を支えた、自民党支持層右派、いわゆるコア保守層です。

岸田政権は、防衛費のＧＤＰ比１％枠撤廃と原子力発電所の建て替え容認という「安倍政権ですらできなかった」政策によって、これら右派自民党支持者をガッチリ押さえました。

これによって、どんなに一般国民の支持を失っても、岩盤の30％を死守することができます。安倍政権がそうであったように、この支持層さえ掴んでいる限り政権が崩壊することはないと見切っているのです。

そんな岸田政権にとって、「同性婚問題」は鬼門中の鬼門です。

「電動キックスケーターへの賛否で思想傾向がわかる」（62ページ）と書きましたが、同性婚問題も全く同じで、この賛否で思想傾向がハッキリわかります。**端的に言って、自民党右派支持層は同性婚に絶対反対、選択的夫婦別姓もおおむね反対です。**

岸田総理自身の出身母体の派閥は自民党左派色が強く、これらの問題に「寛容」ですが、その「地」を出した瞬間に、岸田政権は安倍長期政権を支えた土台の支持層を失って政権が崩壊する運命にあります。

首相とその周辺は、そのあたりの構造を強く認識していますから、荒井秘書官の発言問題はできるだけ早く沈静化させる必要があったのです。

この問題が長引けば、「岸田政権自体が荒井秘書官と同じ思想にとらわれていて、それゆえ同性婚問題などに消極的なのだ」という、同性婚を法制化しようとする勢力の術中にハマってしまいますからね。

その点では、この騒動は、日本での同性婚と夫婦別姓を法制化すべきかという本質的な問題に一切広がらずに収束しました。

これって、誰にとっても実に不毛な騒動と言えます。

荒井秘書官の発言は、その立場を考えるとたとえオフレコでもすべきでないことは明らかですが、言った内容のコアな部分は「差別」というより、秘書官本人の性的指向について述べたものですから、**個人の性的指向に関する発言が、その内容によって糾弾（きゅうだん）される社会は居心地悪い気がするのです。**

荒井秘書官が、自分の性的指向だけにとどまらず、「秘書官室もみんな反対する」「同性婚を認めたら国を捨てる人が出てくる」など、他の政権内部の人間の考えや同性婚法制化後の「国民」の行動について推察で述べたのは立場的に全く不適切ですが、「隣に住んでいたらちょっと嫌だ」などの個人の意見を述べた部分に関しては、それが同性愛に寛容でも否定的でも、それ自体は問題視されるべきではないと思うのです。

◆同性婚法制化の前提となるはずの憲法改正論議◆

さて、それでは本質的な問題、すなわち日本における同性婚法制化の問題を考えてみましょう。

これについては近年、裁判を通じてかなり本質的な問題が浮き彫りになってきました。

日本で同性婚が法制化されていないことが不当な法的差別か？　が争われた裁判で、法の下の平等を定めた日本国憲法14条1項を理由に同性婚を認めない現行制度を違憲と断じる裁判所が現れ始めていますが、そんな裁判所でも、憲法24条1項の観点については、いずれも現行制度を合憲と判断しています。

憲法24条1項はこう定めています。

「婚姻は、両性の合意のみに基いて成立し、夫婦が同等の権利を有することを基本として、相互の協力により、維持されなければならない」

これを読めば明らかですが、日本国憲法は、同性間の結婚を全く想定していないの

です。

もちろんこの憲法の条文は、第二次大戦前の日本の伝統的な「家同士の結婚」という価値観を否定して、「個人の意思による結婚」という新しい価値を日本に広めるために作られたものであって、同性婚を否定するために制定された条文ではないのは事実ですが、現行憲法をどう解釈しても同性間の結婚を憲法が想定していたとは考えられません。

もっとも、あれだけ日本の再軍備を否定している憲法9条下でも戦闘機や「空母」が持てる国ですから、憲法24条の下で同性婚を認める法律を国会が作ってもさほど不思議ではありませんが、憲法9条問題と同じで、現憲法を改正せずに同性婚を認めたら、間違いなくその法律について「憲法違反」の訴えが起こされるはずです。

荒井秘書官は「同性婚を認めたら国を捨てる人が出てくる」と発言しましたが、今、世界で同性婚を全く認めていないのはイスラム世界くらいですから、同性婚を法制化したからといって日本を逃げ出す人はほとんどいないでしょう。荒井秘書官のこの一言は完全に余計でしたね。

日本で同性婚の法制化を求める人は、日本で同性婚が認められない根本原因になっている憲法24条の改正を主張すべきです。

憲法9条の改正問題でも明らかですが、日本の憲法改正には衆参両院の3分の2以上の勢力の賛成と国民投票の可決という極めて高いハードルがありますから、確かに憲法改正は現実的でありません。

それでも同性婚法制化を求める人々は、同性婚法制化と同時に、憲法24条改正を求めないと辻褄が合わないと思うのです。

しかし、その方面の活動家の皆さんから、そんな主張は一切聞こえてきません。

なぜなら、日本で同性婚の法制化を求めている中心層は思想的に左派リベラル色が強く、この人たちの多くは「憲法改正反対」「憲法9条維持」「護憲」を求めていて、現行憲法には指一本触れさせないという主張をしているために、たとえ同性婚実現のためであっても「憲法改正は絶対に認めたくない」のです。

◆腰の引けた保守派◆

実は私、この騒動の間中、いわゆる「保守派」の皆さんの腰の引けた主張に辟易としていました。
ＬＧＢＴＱの皆さんの権利を法制化する議論に執拗に反対していた「保守派」の皆さんの本音は、「そんなの生命倫理に反している。そもそも気持ち悪い」という点にあったと思います。

ところがこの主張をそのままストレートに表現して「差別主義者」と指弾されるのが怖いものですから、卑怯にも、「自分を女性だと思っている男性の体を持つ人物が、ＬＧＢＴ関連法で確立された権利に基づいて、自分を女性だと主張して女湯に入ってきたら女性の権利が侵害される。それどころか、本当は心も体も男性のタダのスケベな男が女湯に入ってきて、『私は自分を女性だと思っている。性自認によって行動しているだけで、この行為は法的権利として保障されている。それをダメと言うあなたは差別者だ』と主張したらどうするのだ⁉」なんて議論を提起して、必死にＬＧＢＴ理解増進関連の法律が成立することに反対しました。

私はＬＧＢＴ理解増進の法制化に反対する「保守派」の人々が、ストレートに本音を述べず、女性の権利の擁護者のふりをして、ここで書いたような枝葉の主張に迷い込んでいくのを見て、「この論争で勝ち目はない」と考えるようになりました。

この問題に関する私の意見はシンプルです。

「みんな自分が思うように生きたらいいのだし、法律もあえてそれを規制する必要はない。現在の日本国憲法の条文は明らかに男女間の結婚しか想定していないのだから、同性同士が結婚できる法律を作るためには憲法改正が必要だが、それが日本国民の多数意見なら憲法を変えたらいい」と考えています。

その結果人類が滅亡に一歩近づくかもしれませんが、それはそれで地球の歴史の一つでしょう。

要するに、誰もかれも「ご都合主義」ってことです。

でも私は、この「ご都合主義」こそが、日本社会の本質ではないかと最近強く感じています。その意味では、岸田政権は極めて日本的な「ご都合主義政権」なのかもしれません。

放送法は政治家と官僚の道具か

2023年春、高市早苗経済安全保障担当大臣が、放送法における政治的公平性の解釈変更を役人に強いたのではないかという「捏造」文書が取り上げられ、連日国会で吊るしあげられました。

背景に何があるのか、私の知っていることをお話ししましょう。

現在の「各県地上波4局」の民放体制が確立して久しく、近年は新しい放送免許は地上波に関してはほとんど付与されていませんが、現在の体制を構築したのは自民党田中派（後の経世会・現在は平成研究会）を率いた田中角栄さんでした。

この人は近年、「救世主」を待つネット民などに支持されて、再評価する本なども随分人気ですが、**私の世代のイメージは「典型的な利権政治家」でした**。ただ彼が首相になったときの日本国民の熱狂が凄かったのはよく記憶しています。

東大出の官僚出身自民党議員が歴代総理を務める中で、彼は高等小学校卒の学歴で「コンピュータ付きブルドーザー」と呼ばれて政界に君臨し、ついに総理にまで成り上がったわけですが、「レッド横田（熱心な共産党支持者だったのでこう呼ばれていました）」とあだ名されていた私の高校の担任教師が、授業中に、田中角栄総理大臣誕生の報道に感激して「これで日本は良くなる」と叫んだのを今でもハッキリ覚えています。

ところがその後数年で、立花隆氏の「田中角栄研究」という雑誌連載で、田中氏が開発前の信濃川河川敷の土地を入手して、土地ころがしで数百億円という莫大な利益を得た構図などが暴かれ、その後、全日空の新規機種選定でロッキード社から5億円を受け取ったとして起訴され、裁判中に脳卒中で重い障害を負い、手下の竹下登氏に裏切られ、下級審で有罪判決を受けたものの最高裁の判決確定前に病死した……というのが私の記憶している田中角栄像です。

このイメージ自体、暗示的に誘導されて作られたものである可能性は否定できませんが、私がそう信じているのは間違いありません。

この田中角栄氏が金と権力を手にした手段と密接に関係しているのですが、現在営業している日本の地上波放送局のうち、およそ半数は、田中角栄氏が郵政大臣をしているときに放送免許を取得しています。

今は多くの地方局が慢性的な赤字体質になってしまいましたが、昔は、「放送免許は札を刷る免許」と言われました。とにかく放送局は儲かったのです。

ですから、地方の財界人はこぞって、放送免許の取得を目指しました。地方局の中には、「親会社はパチンコ屋とラブホテルが本業」なんていう局もありました。私が大阪局のリポーターとして東京の全国会議に行くと、「今年の4月からディレクターになりましたが、その前は、ラブホテルでフロントマンをやってました」なんていう経歴の人と知り合うこともありました。**最近はあんまりこんな話は聞かなくなりましたけどね。**

しかし、地上波テレビのチャンネル数には、国際的な電波の割り当てによって限界があります。また、地方の経済基盤などを考えて、当時の郵政省は、「原則各県に民放局は4つ」という方針を決めました。

今でもこれは生きていて、関東や関西などのように、放送エリアが広域で経済基盤の大きいところには5つ以上の放送局がありますが、地方は4局が基本です。経済基盤が小さくて4局存在できない地方では2〜3局しか民放がないところもありますが、これはあくまでも例外です。

「放送免許は札を刷る免許」ですから、地方の財界有力者はこぞって放送免許取得に動きましたが、局数に限りがあるわけで、ここで、免許を付与する郵政省のトップである田中角栄郵政大臣が辣腕を発揮し始めます。地方の財界に働きかけて、例えば放送免許を取得したい企業が8社あった場合、話し合いや調整を行って、免許申請者が4組になるように調整するのです。当然、政治献金などの方法で、調整を受けた企業からお金を吸い上げます。**こうして日本中の放送局の設立に田中角栄郵政大臣が関わることで、資金面でも、選挙における集票マシーンとしても、田中派は全国に強力なネットワークを構築していったのです。**

郵政省は2001年の省庁再編で、自治省、総務庁とともに総務省に統合されますが、長年政治家と官僚の巨大利権になっていた放送関連事業は、利権とともに総務省に引き継がれます。またこの利権は、病身の田中角栄氏を追い落として派閥のリーダーとなった竹下登氏に受け継がれ、典型的な経世会利権になります。

経世会と対立する森派（後の安倍派＝清和会）の小泉純一郎氏が郵政民営化を推し進めたのは、**長年の経世会利権にメスを入れたかったこともあるのではないか**と言われています。

◆安倍氏没後の権力闘争の中で◆

私は流出した高市早苗さん関連の文書を読んで「これは間違いなく本物」と確信しました。ただ、高市さんが言っているように、「中身は捏造」である可能性は否定しません。

放送法第4条は放送局に対して「政治的に公平であること」と規定しています。ただ従来の政府見解では、この「公平」は個々の番組や特定の発言ではなく、放送局の放送姿勢全体を見て判断するものと解釈されてきました。しかし安倍総理、高市総務大臣時代にこの解釈が変更されて「単体の番組であっても政治的公平性が判断されることもある」とされました。この解釈変更に際して高市氏が強く関わっていたというのが流出文書の本旨です。

つまりそこに書かれていたのは、伝統的に日本の保守派が日常的に口にしていることで、「高市さんがそれを言ったとしても不思議ではない」内容なのです。ですから、放送法の解釈変更を企図した官僚が、高市さんらの日ごろの言動をテコに使おうとして作った文書である可能性は否定できませんが、そこに書かれているのは高市さんの「本音」とも言えます。

しかし、それを高市さんが総務大臣時代に実際に言ったかどうかはわかりませんし、本人はそれを強く否定しています。

それにしてもひどいのは、この問題を国会で追及した立憲民主党の議員です。

この人物、のちにメディアに圧力をかける言動で炎上しましたが、元々郵政省の役人で、放送法を放送局に守らせる立場にいた人物です。高市さんへの追及では放送局寄りに見える言動を繰り返しながら、その実、放送法を使って放送局に圧力をかける態度を合理化する言動を繰り返しているわけで、日本の悪い役人そのものです。正直呆（あき）れました。

つまり現行放送法は、日本の役人にとって、放送局に影響力を持つための必須のアイテムというわけです。

さて、長年経世会利権だった旧郵政省関連事業ですが、その後権力の座に長くとどまった安倍総理の時代に徐々に、安倍氏の派閥の影響力が増してゆきます。

安倍側近の一人である高市氏が総務大臣になったのは象徴的です。高市氏は総務大

2023年5月8日奈良県庁に初登庁し、花束を受け取る山下真・奈良県知事。大阪府以外で初めての維新公認知事が誕生した(写真：時事)。

臣を辞してからも総務省に影響力を持っていたようで、郵政省とともに総務省に編入された自治省出身官僚を、2023年4月の統一地方選挙で奈良県知事選挙に立候補させることを決めました。

この人物は、高市氏が総務大臣をしていたときの秘書官です。**いわば子飼いの部下を奈良県知事にしようとしたわけです。**

今年の奈良県知事選挙は、元々運輸官僚出身の自民党議員だった荒井正吾氏が78歳の年齢を押して5選目の戦いに意欲満々でした。本来、この選挙の候補者調整は奈良県選出の自民党有力議員である高市氏の仕事なのですが、**「高齢のアン**

タじゃ、維新の候補に勝てないのよ」的な高市氏の本音が現職の荒井氏に伝わってしまい、候補者調整に失敗して、奈良県は自民党分裂選挙になってしまいました。

結局、自民党本部は誰にも公認を出さず、高市氏の元秘書官を自民党県連が推薦する形で選挙戦に突入し、日本維新の会公認の山下真氏が当選しました。自民党公認どころか県連の推薦も得られなかった現職の荒井氏は、高市氏に相当な恨みを持っているでしょう。また、自治省出身で高市氏の側近だった官僚が奈良県知事になることについて、同じ総務省を構成する郵政出身の官僚群が面白く思っていないのは当然です。

安倍氏が亡くなって、今、安倍氏存命中に安倍派に集中した権力と利権の奪い合いが自民党の中で起きています。総務省文書をめぐる一連の騒動は、ここに書いたような背景の中で起きたことです。

それにしても、政治家も官僚も、こんなチンケな権力闘争でなく、本当に将来の日本にとって大切なことにエネルギーを費やすべきでしょう。

正直私は、「みんなまとめて地獄に落ちろ！」と思っています。

ちなみに、日本のメディアの根本的な問題である、テレビと新聞との関係については、本書の後半で詳述（しょうじゅつ）しています。ぜひ参考にしてください。

今の市区町村をすべて廃止しよう

長澤まさみ、松山ケンイチ主演の日本映画「ロストケア」を日比谷の映画館で見てきました。重い認知症で家族の負担となっている高齢者42人を「救った」と主張する介護士（松山）と、彼を高齢者42人の「殺人」で訴追しようとする検事（長澤）の対立を軸に、現在の日本の高齢者問題を描いた秀作です。

ただ、2023年4月中旬時点で上映していたのは、私が調べた限り日比谷と日本橋のTOHOシネマズだけでした。私が見に行ったのは、土曜日の午前の回でしたが、高齢層を中心にほぼ満席状態でした。この問題に対する高齢者の関心の高さがわかりますが、2館でしかやっていなかったところを見ると、そんなに儲かっている映画じゃなさそうです。

長澤まさみは「コンフィデンスマンJP」などで見せる「美人コメディエンヌ」のイメージが私には強いのですが、「本気を出せばシリアスな役も凄いのよ」ってところを、この映画でしっかり見せてくれています。一見の価値がありますが、地方に住んでいるとなかなか見るチャンスが来ないかもしれません。

その「地方」ですが、統一地方選挙の最中に考えたことがあります。

私、明治維新から150年、そろそろ本気で地方自治体の枠組みを大変更する時期に差し掛かっていると思うんです。

例えば「市区町村」というのは、日本の最小の行政単位である「基礎自治体」で、住民の日常サービスを担当するのがその役割ですが、「基礎自治体」とひとくくりに言っても、人口が100人単位の村と人口100万人を超える市があり、ともに「基礎自治体」として仕事をするのは無理があるんじゃないですか？

人口100人単位じゃ、何をするにも満足な予算や組織は持てませんし、逆に人口100万人では、一人一人の住民を見ながらの行政サービスなんかできるわけがありません。

私は今の市区町村を全部廃止して、人口数万人規模の本当の意味の「基礎自治体」を全国に新たに作り、そこが住民に密着した行政機関としてのサービスをすべきだと考えています。

また、江戸時代の藩を基本にした現在の都道府県の枠組みも全部やめて、人口バランスや通勤通学の繋がり等を配慮した新しい中間自治体に改組すべきでしょう。

住民に密着したサービスは人口数万人の基礎自治体が担い、それより大きな行政は中間自治体が行って、外交、安全保障、通貨等、国家単位でないと解決できない課題だけを国家が担うように、日本という国を作り替える必要があると思うんです。

いわゆる大阪都構想は、この未来へ向かう道筋の一つと私は捉えていたんですが、現実に実行するのはなかなかハードルが高いですね。現行の都道府県、市区町村の枠組み一つとっても既得権益の壁は厚いのです。

今の日本の制度はすべてにおいて「勤続疲労」を起こしています。

政治家には大胆な発想で日本の未来を設計してほしいのですが、今の国会議員の顔ぶれを見ると絶望的です。皆さんの責任として、若い人たちを導いて、未来に夢の持てる日本に作り替えましょうよ。

◆日本の高齢者医療は素晴らしいけれど◆

さて話を日本の高齢者問題に戻します。

私、この問題に関係する世界の統計を見ていて、常々不思議に思っていたことがあります。例えばヨーロッパ、特にスウェーデンなどの北欧では、80歳を過ぎると医者はまともに治療してくれません。「まともに治療してくれない」と書くとイメージが悪いので、**「積極治療を行ってくれない」と書いたほうが穏便ですかね。**

日本では当たり前に行われている、認知症などで咀嚼（そしゃく）能力を失った高齢者の胃袋にパイプを通して流動食を流し込むなんて医療行為はまずヨーロッパでは行われません。

食べる能力を不可逆的に失った高齢者にパイプで栄養を送り込むシステム（日本では「胃ろう」と呼ぶ一般的な治療方法です）を構築しなければ高齢者は確実に低栄養で死にます。

つまり、日本なら生かしてもらえる高齢者が、北欧ではどんどん死んでいるってことなのです。

私は、「北欧の平均寿命は日本に比べるとかなり短いんだろうな」と思っていました。ところが、統計を見てビックリです。北欧の平均寿命は軒並み80歳を超えています。男女を平均すれば日本のほうが2歳ほど長いですが、正直「大して変わらないじゃな

■平均寿命の国際比較

国名	作成基礎期間	男	女
日本	2020	81.64	87.74
スウェーデン	2020	80.60	84.29
フィンランド	2019	79.16	84.53
ノルウェー	2020	81.48	84.89
イギリス	2017-2019	79.37	83.06
フランス	2020	79.10	85.12
ロシア	2018	67.75	77.82
アメリカ合衆国	2019	76.30	81.40
中国	2015	73.64	79.43
オーストラリア	2017-2019	80.85	85.04

厚生労働省「令和2年簡易生命表」より作成

いか」という印象です。

なぜ、80歳を過ぎると積極医療を施してもらえない北欧の平均寿命が日本と大して変わらないのか?

それは、「80歳を過ぎて重大な疾患を抱えても、まともに治療してもらえない」という常識が国民の間に広がっているために、健康寿命を延ばす努力を高齢者が継続して行うからです。

また、欧州では自分で死を選ぶ「安楽死」を法制化している国が多いですが、「チューブで繋がれてベッドの上で身動きできない状態で歳を重ねることにどんな人生の意味があるのか?」という意識が多くの国民の間で共有されているゆえの「安楽死」です。

西欧諸国では、現役世代が毎年1カ月前後の「バカンス」休暇を取るのが当たり前ですが、体の自由が利く間に人生を謳歌して、それができなくなったら人生という劇場から退場するという考えの人が多いんですね。

日本はどうあるべきか？

私は、積極医療を望む高齢者に公的社会保険で手厚い治療が行われる日本のシステムは素晴らしいと思います。

でもね、望んでもいないのに、医療機関の利益確保のために、認知能力を失った高齢者にチューブを繫いで栄養を補給し続けるのは、人間の尊厳に対する冒瀆だと思うんですよね。

親世代の年金で生活を支えられている人たちが、親の年金確保のために「とにかく心臓だけは動かしておいて」なんて医者に頼むケースなどは論外と言うべきでしょう。でも、この「論外」が日本の高齢者医療の現場ではまかり通っているんですよね。

崩壊した地方自治体が関与する病院の中で、認知症を患いながらチューブに繫がれて老齢の日々を過ごす生活って恐怖そのものです。**でも、日本の多くの高齢者が、その瀬戸際のところにいるのは紛れもない事実なのです。**

皆さん、自己決定できる知力と体力がある間に、「こうなったら、こうして」としっかり伝えておくことが必要です。

例えば一人暮らしの高齢者には、そんな意思を記録して実行する機関が必要ですが、それって正に基礎自治体の仕事なんですよね。

まやかしの年金

国民年金の加入期間が5年間延長されそうです。

今まで公的年金は20歳から60歳まで40年間掛け金を払い、60歳から死ぬまで年金を受け取るのが基本設計でした。

ところが想定以上（と言うより、むしろ想定通りです）に年金受給世代の寿命が延び、掛け金を払う現役世代の数が減って、制度の修正を余儀なくされているんです。

現行年金制度の基本的思想は、40年間掛け金を払うことで20年間年金を受け取ることです。こうすることで、将来の物価変動などにかかわらず、いつの時代の高齢者も現役世代の収入の半分を年金で受け取ることができます。

考え方としてシンプルですよね。「年金は持続可能」と主張する人々は、この基本構造を「持続可能」と考えているわけです。

この基本思想は応用が簡単で、寿命が延びた場合、50年間掛け金を払って25年間年金を受け取る制度に変えれば、同じ制度設計で年金は現役世代の50%、つまり平均給与の半分の金額を受け取れることになります。数学的前提として、どの時代も世代間の人口バランスはイーブンとします。

私はこの考え方に長年疑問を持っていました。数学的にはこの制度設計は正しいですが、この制度設計に合うように制度を微調整するのが政治的に極めて困難だからです。でもこの困難さを乗り越えないと制度に狂いが生じてしまいます。

元々、20歳から60歳まで働いて年金掛け金を払い、60歳から20年間年金を受け取って80歳で死ぬというのが現行の年金の制度設計です。

平均寿命が延びた場合、20歳から65歳まで45年間働いて、65歳から、掛け金を払い続けた45年間の半分の22・5年間年金を受け取って87・5歳で死ぬと、さっきの数学的辻褄は合います。この場合、人口バランスが各世代イーブンとすると、理論的には現役世代の50％の年金が支給されるはずです。

日本の年金の制度設計の柱は「現役世代の平均給与の50％の年金支給」です。5年に一度年金財政の検証が行われ、**将来の年金額が、その時代の現役世代の平均給与の50％を下回ることがわかった場合、年金制度の抜本的見直しをしなくてはいけない決まりになっているのです。**

政府としてはこの事態を避けたいので、どんな手を使っても数学的に50％を維持しようとします。ちなみにこの「50％」ですが、対象になるモデル世帯は、妻が夫の配偶者として40年間掛け金を払わず、第三号被保険者として基礎年金を全額受け取る場合の夫婦合算の年金額です。

つまり基礎年金二人分と夫の厚生年金の2階部分を足した額が、現役世代の平均賃金の半分という意味で、単身者の場合、とっくの昔に50％を下回っています。現在マスコミが伝える「平均年金月額約20万円」という統計には、専業主婦だった妻が受け取る約6万円の基礎年金が含まれているのです。個人で「20万円」なんて額の年金は、現役時代に相当給料が高かった人以外、まず受け取れません。

◆前回の年金財政検証は「詐欺」◆

この5年に一度の財政検証、前回の2019年のケースでは、「50％が将来も維持できるから、制度を変更する必要なし」という結論になりました。

しかしその中身をよく見ると、あり得ない経済成長率を前提にしています。 経済が成長すると、給料が物価以上に毎年伸びます。例えば物価上昇率が2％、賃金上昇率が3％とすると、毎年1％ずつ日本人は豊かになりますよね。通常こういう場合、金利は少なくとも物価上昇に見合うだけは付きますから、預貯金にも相当の金利が付いて増えていきます。経済が成長するというのはそういうことです。

年金財政的に見ると、掛け金収入は賃金に連動しますし、年金支払いは物価に連動しますから、経済が成長すると年金財政は楽になります。

2019年の財政検証は、昨今の日本経済の状況を考えると「あり得ないほど高い経済成長率」を前提に計算されていました。簡単に言うと「詐欺」です。

実際の経済実態に合わせて年金財政検証をすると、政府が国民に約束した「50％」を下回ってしまうので、あり得ない数字を前提に計算して「年金財政は大丈夫」と発表したのです。

ところが次回2024年の財政検証を前にして、今まで無理に無理を重ねてついてきた嘘が誰の目にも明らかになる前に、数学的辻褄を合わせる必要が生じたのです。

とにかく、目先の数字の辻褄を合わせるためには、年金収入を増やすか、給付を減らすしか方法はありません。給付を減らすと世論に火が付いてしまいますから、

2024年の財政検証はとりあえず、当面の収入増を図ることで乗り切る方針のようです。

そのために数々の細かい施策が打ち出されています。

例えば、厚生年金の対象者を広げることがそれです。政府は「厚生年金のほうが将来の年金額が増えるよ」なんて言っていますが、**本音は、第三号被保険者（パートの主婦などのように掛け金を払わず将来年金を受け取れる人々）を減らし、年金掛け金の半分が企業負担の厚生年金加入者を増やすことで、掛け金収入を増やすことが目的です。**

こんなことすると、将来の支払額も増えますから、長い目で見た年金財政への影響は必ずしも良いとは言えないんですが、とりあえず当面の収入を増やすことができます。

もちろん、国民年金の加入期間を延ばすのもそのためです。

現行年金制度には「マクロ経済スライド」という、年金の支給額をゆっくり減らしてゆく制度が仕込まれています。簡単に言うと、年金支給を掛け金収入の中でやりくりするための制度です。

国民年金の財政は苦しく、今のままでは将来、年金の支給月額が今の価値で5万円を下回ることが確実になっています。年金加入期間を5年延長することで掛け金収入を増やし、なんとか「将来的に5万円以上の年金支給を確保する」というのが制度変更の本音です。

報道の中に、「加入期間を5年延長することで、将来の年金額が増える」と伝えたメディアがありますが、これは嘘です。嘘と言うより、書いた記者が厚生労働省に騙（だま）されているわけです。無知って恐ろしいです。

「加入期間を5年延長しないと、それでなくても少ない国民年金の受給額が、今の価値で5万円を下回ります」というのが制度変更の本当の趣旨です。

ところが、そんな本当のことを言うと、「100年安心プランは嘘だったのか」と政府は火の粉を被りますから、無謬（むびゅう）でなくてはいけない年金官僚としては絶対に本音を口にできないのです。

マスコミはこの「政府と役人の本音」を伝えるのが仕事のはずですが、知識が乏しくて本当のことを伝えるスキルがないわけです。困ったもんです。

◆年金支給開始が70歳になる未来◆

２０２４年の財政検証を、政府は微細な制度変更で当面の収入増を図ることで乗り切る方針のようです。

しかしさらにその5年後の財政検証では、今後よほど経済が成長するか、あるいは急に現役世代が増えるかしない限り辻褄が合わなくなります。昨今の外国人労働者増加のための制度変更はこの文脈で起きていることと考えるべきです。しかしこの円安が続くと、頼みの外国人労働者すら日本で働くことを忌避するようになります。

これ以上年金収入を増やすことが無理になる次の次の財政検証で政府が取りうる手段は、支給の減額しかありません。

予言しておきます。今から7年以内に、年金支給開始年齢の引き上げが政治的、マスコミ的に俎上（そじょう）に上ります。

恐らく最初は1年ずつ年金支給開始年齢が引き上げられ、やがて日本の年金支給開始年齢は70歳に近づいていきます。

■日本の将来推計人口（令和5年推計）による2045年の人口ピラミッド

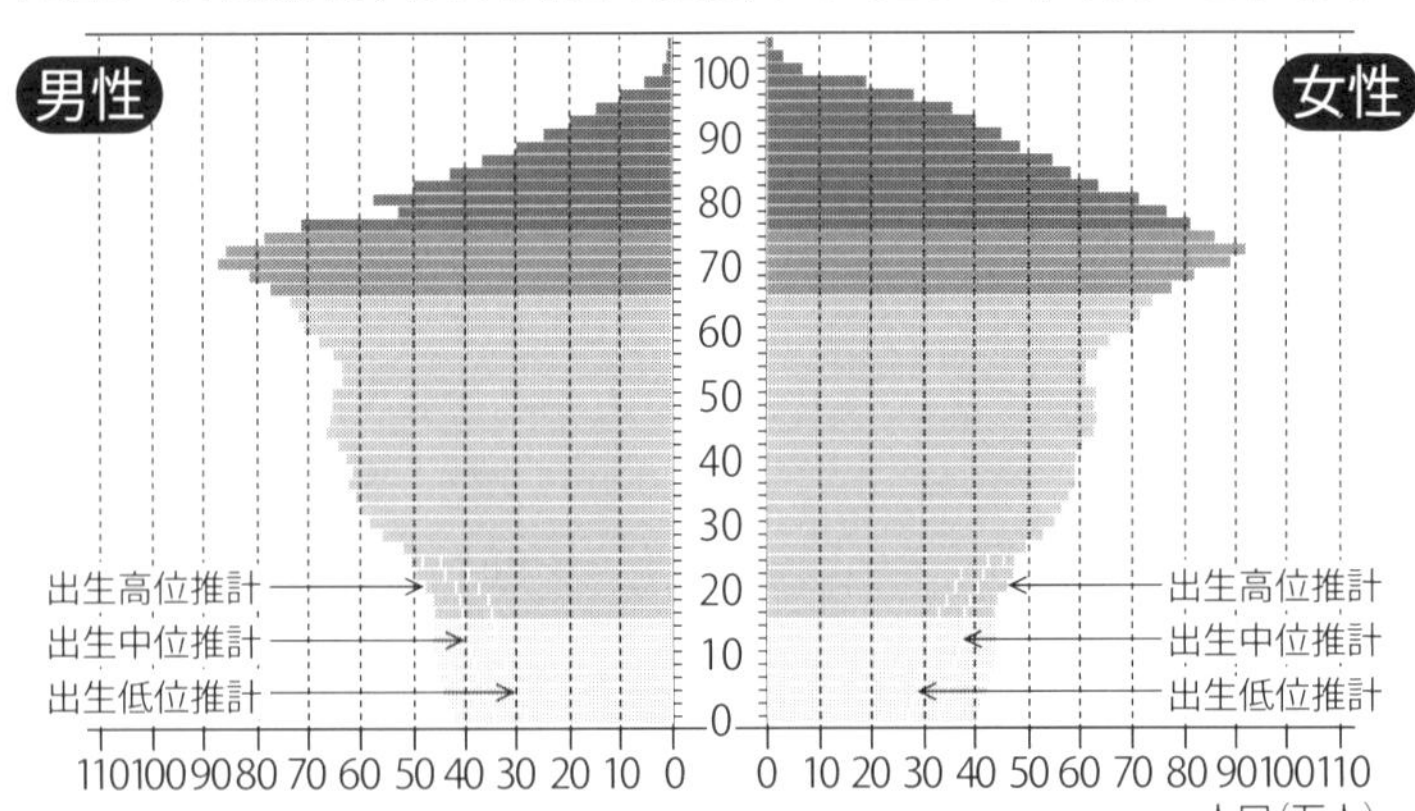

国立社会保障・人口問題研究所「日本の将来推計人口（令和5年推計）」
（https://www.ipss.go.jp/pp-zenkoku/j/zenkoku2023/db_zenkoku2023/g_images/pp2023gg0105_2045.png）を加工して作成

そのころの平均寿命が95歳とすると、20歳から70歳まで50年間年金掛け金を払い、70歳から95歳まで年金を受け取るシステムが構築できます。50年間年金掛け金を払い、25年間年金を受け取る制度の完成です。

これで将来世代間の人口バランスがイーブンになると数学的には現役世代賃金の50％の年金支給が永久に可能になります。

でもねえ、政治的にこれを実現するのは相当ハードルが高く、政治家の人気取りのせいで制度全体がどんどんいびつになっていって、結局そのしわ寄せは将来世代が背負うことになるでしょう。世の中数学では割り切れないことが多いのです。数学馬鹿は人間を学習しなくてはいけません。

実は将来、自然に年金問題が解決する可能性がないわけではありません。**例えば80歳以上だけが特異的に重症化する疫病が流行(はや)って、高齢者が一瞬で死に絶えたら、年金問題は即解決します。** 80歳以上の高齢者の積極医療を行わないスウェーデン方式の底流には、この考え方があります。

でも、90歳でも公費で人工透析が受けられて、１００歳でも心臓手術が受けられる日本で、スウェーデン方式は社会に受け入れられませんよねえ。私ももうすぐ、この年齢ですから、他人事(ひとごと)じゃありません。

あながちこれは冗談でもありません。日本では平均寿命が今後もどんどん延びていくと考える人が多いですが、例えばアメリカでは、ここ数年で平均寿命が逆に2年も縮んでいるんです。

私はいったい何歳まで生きるのか？

最近、これがとても興味深いです。

黒田日銀総裁の施策を振り返る

２０２３年の年初に行われた日銀の金融政策決定会合で、２０２２年末に実質的な利上げを決めた政策判断を据え置き、当面、長期金利を０・５％に据え置く政策が継続されることになりました。

でも、この判断は日本の物価上昇が続く限り風前の灯で、しばらくは今までの政策を担った黒田総裁の顔を立てる形で現在の政策が継続されるとしても、政策変更を余儀なくされるのは間違いありません。

日本の長期金利は、日本国債の取引価格で決まります。将来の一定時点で定額が払い戻される紙切れ（現在はすべて電子化されていて紙の日本国債は存在しませんが、イメージ的には紙と捉えると理解しやすいです）が、今いくらで取引されているかで金利が決まるのです。

今の取引価格が低ければ低いほど、将来定額で払い戻されることを考えると、払い戻しまでの金利は高いことになります。

逆に紙切れの価格が現在、将来払い戻される額面価格に近いほど高額なら、ほとんど金利が付かないことになりますから、「金利は低い」わけです。日本の金利が上がるということは、日本国債の取引価格が下がるのと同じ意味です。

ここまで理解した上で、２０２２年末に何が起きたのかと言うと、日銀が許容する０・５％を超えて日本国債の値段が下がることをにらんで、世界の投資家が日本国債を売り浴びせた結果、国債価格が４日連続で日銀の誘導目標を下回る異常な値下がりになったのです。

日銀は金利が０・５％より上がらないように、一定価格で10年物国債を無制限に買っていますから、金利が０・５％より上がるのは本来あり得ない事態です。だって、日銀がいくらでも買ってくれるのに、それより安い値段で日本国債を売る人が続出した結果、金利が誘導目標を上回ったわけで、これは本来あり得ない事態なのです。**これはたとえて言うなら、１個30円で無制限に卵を買ってくれる人がいるのに、わざわざ20円で他に売る行為**ですから、商売としてはあり得ません。

なんでこんなことが起きるのかと言うと、日銀には自分が貸し出した国債に関しては無制限買い入れの対象にしないなどのルールがあるからですが、早い話、日本国債に対する売り圧力がものすごいってことです。

なぜ日本国債を売るのか？　近い将来の日本の金利上昇が見込まれるということは、日本国債の値段が下がることを意味します。日本を含む世界中で日本国債を持っている人・機関は、手持ちの日本国債の値段が下がることが明白な状況下では、将来の損を回避するために少しでも高く売り抜けたいと考えます。

さらに、日本国債の値下がりが確実なら、今、日本国債を借りてきて高値で売り飛ばし、将来日本国債が値下がりしたタイミングで買い戻して借りた国債を返せば、国債の貸出し手数料等を除くと、価格差分だけ確実に儲かります。

これが「空売り」です。これは、株などのどんな金融商品でも普通にプロが行う取引です。手持ちの株や国債がないのに売るから「空売り」と呼ばれるんですが、一般の人でも保証金を差し出すとできます。普通の人は現物を安値で買って高値で売るのが基本ですけどね。

日本国債になぜこれだけ売りが仕掛けられているのか？　**その原因は突き詰めればただ一つ、日本の物価が上がり始めているからです。**

日本の物価が上がるというのは、取引に使われる日本の通貨である円の価値が下がるのと同じことです。日本の物価は、一般の商品に関しては「緩やかなインフレ」が始まった程度ですが、都心部のマンションやブランド商品に関しては「ハイパー」と言ってもいいほど値段が上がっています。今、東京都心部では70平米に満たないファミリー向けマンションが1億円前後で取引されていますし、数百万円の腕時計は銀座の店舗で「当たり前」になりました。銀座を歩いていたら、ショウウインドウの中に1個1000万円を超える腕時計が並んでいるのを見つけました。

異常です。この異常な値上がりが、今後一般商品に及ぶと大変です。

この物価上昇を抑え込むには、円の価値を高めるしかありません。

価値を高める唯一最大の方法は、お金に付く金利を上げることです。今、この圧力が高まっていて、日本の金利高、つまり国債価格低下が強く市場で意識されるようになっているのです。

◆原因と結果を取り違えた対デフレ政策◆

それにしても政府や日銀は何を間違ったのか？

それはデフレという継続的に物価が下がる原因を間違えたのです。

政府や日銀は、「デフレはお金の価値が高まる現象だから、お金の価値を落とせば解消できる」と考えたわけです。しかし、10年に及ぶこの政策の結果、日本の国力は目に見えて衰退し、日本の労働者の平均賃金は中国都市部の住民の賃金にも抜かれる体たらくです。

なんでこんなことになったのか？

それは、**日本のデフレは日本流の規制や既得権益擁護の政策の結果、経済成長が止まって生じた現象で、単にお金の価値を落とせば解決するような問題じゃなかったの**です。「お金の価値さえ落とせばデフレが止まる」と考えた間違った政策の結果、単にお金の価値が落ちて物価が上昇する結果にしかならなかったのです。

デフレは、日本で起きていることの「原因」じゃなくて「結果」だったわけですね。本当の原因を取り除かずに結果だけ変えようとしたから、国力衰退が起きてしまったのです。

逆にこの間の政府日銀の政策によって、本来市場から退場すべき生産性の低い、無能な経営者の支配する会社が生き残り、それが他の企業等を圧迫して社会全体に閉塞感をもたらしています。**コロナ騒動の中で行われた無利子無担保融資拡大などが、この傾向に拍車をかけました。**

この種の「ゾンビ企業」では従業員の給料は上がりません。しかしいまだ「新卒者は定年まで働く」社会慣習は根強く、給料の低い会社から、成長企業への人材移動は進んでいません。

現在の日本の低成長と閉塞感は、政府日銀の誤った現状認識による政策の結果なのです。政府日銀には、今日本で何が起きているのか、真摯に向き合う姿勢が求められます。

こうして2022年暮れの日銀の政策変更は起きました。今後、日本の物価が沈静化しなければ、さらに金利を上げるしかありません。

2023年1月、日銀は2022年度の物価上昇見通しを3％と発表しました。2022年6月段階の日銀の見通しは1・9％。これが7月に2・3％に修正されましたが、さらに2022年10月の2・9％を修正して3％です。日銀の物価見通しがいかに甘いかわかります。

また、日銀の2023年度の物価見通しは1・6％でしたが、2023年4月には1・

8％に修正。いくらなんでもこれは甘すぎでしょう。こんな見通しを前提にして政策判断したら、まともな政策ができるはずがありません。

なんでこんなことになるのかと言うと、物価が上昇するという見通しの下では、それを抑えるために金利を上げざるを得ないからです。

しかし、かつて何度も述べたように、日本は長年の放漫財政の結果、政府も日銀も民間企業も個人も、高金利に耐えられる構造になっていません。金利が一定以上になると、日本という国の存続が危うくなるほど、日本中が今借金まみれに陥っているのです。

この原稿を私のメールマガジンで書いてからおよそ半年後の2023年7月、黒田日銀総裁からバトンを受け継いだ植田和男総裁は、2023年度の物価見通しを2・5％に修正しました。正に私の予言通りの展開です。さらに長期金利が1％まで上昇することを認める方針を発表しました。

この分野で政府日銀は確実に追い詰められつつあります。

あえて規制を求めた電動キックスケーター

電動キックスケーターに関して、面白い話を聞きました。

私、電動キックスケーターの販売が日本で開始されたころ、「これは日本では法規制に阻まれて普及しないだろう」と考えていました。

ところがこれに関して今、驚くべきことが起きています。２０２３年7月に「法規制が緩和」され、急速に普及する可能性が出てきたのです。**「法規制が緩和」とカギカッコ付きで書いたのには意味があります。**ここにこそ、今回皆さんにお話ししたいことの「肝」があるのです。

ちなみに私は、電動じゃないキックスケーターの愛用者です。坂道を下る際には、スノーボードなどと同じ「横乗り系」の楽しみが味わえます。平地や上り坂では足で地面を蹴る必要がありますが、下り坂では何もしなくても一定速度で走ってくれます。

キックスケーターに乗り始めて気が付いたのですが、大きな道路は分離帯を中心に結構大きなかまぼこ型の傾斜が作ってあります。雨水が道路に溜まらない工夫ですね。

この道をキックスケーターで渡るときには、中央まではキックする必要がありますが、中央を過ぎると何もしなくても走ってくれます。その上折りたたんで小さな袋に入れてしまえば、そのままバスや電車に乗れますから、自転車よりはるかに拠点間の移動に適しています。自転車ほどのスピードは出ませんが、都市における移動手段としては最適です。

この「電動じゃないキックスケーター」の法的位置はいわゆる「グレーゾーン」で、公道を走ることが合法とは言えないけれど、少なくともこれに乗っていて警察に摘発された例は聞いたことがありません。

一方、電動キックスケーターは従来の日本の規制では明らかに「違法」でした。私の若い知人は、かなり前から日常的にこれを移動の手段として使っていますが、「警察官のいそうなところは避けて走る」と言います。この一言で電動キックスケーターの日本における位置がわかります。

ヨーロッパ、特にフランスを中心に急速に電動キックスケーターが普及し始めたころ、私は「便利だけど、日本での普及は無理だろう」と考えていたのです。

電動キックスケーターは都市における移動手段としてはかなり合理的です。

都市部において自動車に乗っている人は大体一人です。一人の移動に、あれだけエネルギー効率の悪いデカい物体が走るのは合理的ではありません。試しに、御堂筋を走る車の中にいったい何人乗っているかを数えてみてください。そして、その人たちを、あの広い御堂筋の中に配置するイメージを脳内に描いてみてください。

ごく少数者のためにあれだけ広い空間が占拠されていて、道路などの施設維持に使われる費用を考えると、実にバカバカしい光景が目の前に広がっているのに気がつきます。

バス、トラック、タクシー、物品の輸送などを除いて、一人しか人が乗っていない自動車の通行を、都市道路では禁じたほうがいいんじゃないかと、私は昔から考えています。

高齢者が公共交通機関を使って歩くようになれば、高齢者が健康になって医療費削減にも繋がります。人間、歩くことが何より健康維持に大切です。

とはいえ、時間短縮したい場合などに、パーソナルな移動手段として、電動キックスケーターは合理性もあり、実際かなり便利です。だからフランスなどで急速に普及したのです。

ところが日本でこの手の「新型コミューター」が公道を走ることはまず許されません。必ず「公道走行は認められない」ということになります。公道走行ができないような乗り物は、移動手段として絶対に普及しません。

だから私は、「日本で電動キックスケーターが移動手段として普及することはない」と考えていたのです。

また、日本では世論もこの種の新種のものにかなり否定的ですから、世論は規制に味方します。でもねえ、もし今「新種の乗り物」として「自転車」が発明されたとして、日本でどんな扱いになるか想像してみてください。恐らく「危険」「邪魔」等の意見が台頭し、マスコミが「事故多発」と大騒ぎしたあげく、世界中の道を自転車が走る時代に、日本だけ「危険」「免許が必要」なんて議論になると思うのです。

日本社会は、特に「いわゆる保守派」の間で、この種の新種のものに対する極めて強いアレルギーがあるのは確かです。**「電動キックスケーターの日本での普及についてどう考えますか？」という質問は、特定人物の思想傾向を測る物差しとしてかなり有効です。**同種の質問は他にもいくつもあります。

◆既得権益を逆手に取った戦略◆

さてそんな日本社会で電動キックスケーターが、公道を走るツールとしてなぜ合法化されたのか？　この経緯は、現代日本を実によく表しています。

日本で電動キックスケーターの公道走行を目指した人々は、日本の規制社会を逆手に取りました。正面から「海外並みに公道走行を認めろ」と主張しても、規制の壁に阻まれることを強く認識していたこの人々は、こう主張し始めたのです。

「電動キックスケーターのために新たに法規制を作ってください」

これは凄い発想の転換です。**こう主張することによって、交通関係の各種規制で飯を食っている既得権益層は安心します**。安心するどころか、「新たな飯の種が生まれる」と考えて、電動キックスケーターの日本での普及にむしろ積極的になります。電動キックスケーターが普及することで、規制による権益が拡大するわけですからね。

こうして、電動キックスケーターの普及を目指す人々の思惑通り、保安部品やナンバープレートの取り付けなどの規制の下に、一気に日本で公道走行が認められることになりました。

本来、こんなもの、自転車並みの扱いで充分な乗り物ですが、日本ではそんなことを言っていたのでは永遠に「公道走行禁止」になってしまいますから、規制による既得権益層に花を持たせることで、「公道走行可能」という実を獲得したわけです。

この発想の転換は凄いですが、日本がいかに規制社会で、それが社会発展の阻害要因になっているかわかります。しかし、この規制社会は日本の世論によって支えられているところもありますから、ある程度は「国民がそれを望んでいる」と言えるのかもしれません。

例えば、近未来の移動手段の目玉になりそうなのが「空飛ぶ車」ですが、日本の規制当局はこれを「ヘリコプター」と同様の存在に位置付けました。

ヘリコプター同様の型式証明と、ヘリコプター同様の操縦免許が必要とされたら、日本での普及は世界に比べて大幅に遅れます。

ここはひとつ、「空飛ぶ自動車が航空機に位置付けられたら自動車の車検で飯を食っている人たちは将来必ず干上がるよ。空飛ぶ自動車はヘリコプターじゃなくて自動車だから、3年ごとの『車検』が必要な自動車に位置付けるべきだ」と自動車関連の既得権益層の危機感を煽(あお)って規制緩和を図るのはどうでしょう？

こうでもしないと日本は現在の構造的な低成長から永遠に抜け出せません。

財政出動で金をバラまけば解決する問題じゃないんです。

第2章

財布から見える社会の変化

急速に貧しくなる日本人

物価動向について、ちょっと衝撃の体験をしました。

私が結婚式でスピーチをしたテレビ局時代の後輩夫婦に赤ちゃんが誕生したので、出産祝いのベビーチャームを発注しに、大阪梅田の百貨店に行ったんです。

最近は、身近な特別な人に赤ちゃんが生まれると、ドイツのシュタイフ社のテディベアを贈るのがマイブームなんですが、昔はこのアクセサリーショップのベビーチャームが私の出産祝いの定番でした。

今回後輩に双子の赤ちゃんができたと聞いたので、初めはテディベアを考えたんですが、この後輩には10年くらい前に第一子が誕生したときにベビーチャームを贈っていましたので、兄弟で貰うものが違うのは困るだろうと、10年前と同じものを探しに行ったのです。

幸い目指す百貨店のアクセサリー売り場は10年前と変わらずそこにありました。あんまり売れないのか、目指す商品はショーケースにはありませんでしたが、「10年くらい前に買ったベビーチャームはまだありますか？」と聞くと、奥の引き出しからサンプルを出してくれました。

やっぱりあんまり売れないのでしょう、昔に比べて種類が減っていましたが、デザインや素材は昔のままです。基本的に銀の小さなプレートに名前と日付の刻印が入るだけで、値段は1万円前後と記憶していました。

値段を聞かずに発注し、会計になって驚きました。一つなんと3万円前後に値上がりしていたのです。4つ買って「どんなに高くても6万円くらいだろう」と考えていましたので、「12万円」と言われてのけぞりました。

今更やめるわけにいかないので、現金で支払うつもりが、カードを出す羽目に陥りました。私の驚愕を察したようで、店員さんは申しわけなさそうに「3月からまた値上げしたんです」とつぶやきました。

ひどい悪性インフレになっています。

店員さんが値段を決めているわけじゃないでしょうから、なんだか気の毒になったので、**作り笑顔を見せながら「今までが安すぎたんじゃないですか」と心にもないことを言ってしまいました**。私、実は「いい人」なんです。

高橋尚子さんがシドニーオリンピックで金メダルを取って国民栄誉賞を受賞したときの副賞で授与されたスイスのパテック フィリップ社のアクアノートという時計の値段が、20年で10倍になっていると前著『この国は歪んだニュースに溢れている』（PHPエディターズ・グループ）で書きましたが、海外ブランドだけじゃなくて、小さなアクセサリーショップの製品の値段が10年で3倍になっているのは異常です。

値段が上がるというのは、モノの価値を媒介する貨幣の価値が落ちるのと同じです。つまりこの10年ほどで、円の価値が猛烈に低下してしまったということなのです。

東京都心のマンションが軒並み70平米で1億円を超えているのも同じ現象です。最近中国では利上げで不動産価格が下がり始めていますが、それでも北京市内の70平米のマンション価格は日本円に換算すると2億円ほどします。

中国都市部の労働者の賃金はドル換算で日本を上回るようになってしまいました。日本の平均賃金は、今後毎年10％ずつ上がり続けてもシンガポールや香港の平均賃金に届きそうにありません。日本人の平均賃金が、台湾、韓国の賃金にも抜かれてしまったのは正直かなり衝撃です。

中国都市部の金持ちから見たら、東京の1億円のマンションは「格安物件」なんです。

もちろんこの現象は円安＝円の価値下落がもたらしたものです。

２０２３年２月、中国人が日本の離島の土地を買ったことが判明し話題になりましたが、買値は１５００万円ほどと報じられています。どう考えても開発許可の下りなさそうな物件ですから、結局中国人にとって「捨て金」になると思いますが、**金持ちの中国人にしてみたら、１５００万円くらいは「話題作りの遊びに捨ててもいい」金額なんですね**。

こうして、「激安日本」は世界に叩き売られていくのです。困ったものです。

◆忍びよる更なるインフレ◆

２０２３年２月の東京都の消費者物価指数を見ると、対前年度比３％ほどの伸びと、「４％超の上昇になった前月を下回った」と報じられましたが、中身を見ると、政府の多額の補助金が投入された電気とガスの値段が下がり、これが１％程度統計数字の引き下げに寄与していますから、２月の物価上昇率は実質４％を超えています。

つまり３カ月連続で４％超の物価上昇率になっているのです。

ところが政府日銀は「デフレが続いている」と認識しています。

2023年春から賃金を上げる企業が増えたと報じられましたが、これも結構まやかしで、ユニクロに勤める私の知人の娘さんが落胆して帰宅したそうです。ユニクロの賃金は春から「40％値上げ」と報じられていましたが、これはあくまでも「40％賃金が上がる人がいる」という話で、従業員の賃金の平均が40％上がるわけではありません。

私の知人の娘さんは、「40％賃金が上がる」というマスコミ報道にとても喜んでいたのに、自分の賃金が上がらないと知ってひどく落胆して帰宅したそうです。なんだか可哀そうです。

また「中小企業も賃上げ」と大きく報じられましたが、**中身を精査すると、物価上昇率に見合うだけの賃上げを考えているのは全中小企業の2割程度です**。つまり、圧倒的多数の日本人は現在急速に貧しくなっているということなのです。

ところで今年初め、中南米を旅していた「バカ息子2」が帰国しました。彼の証言によると、メキシコに店を出している「すき家」の牛丼が日本円に換算して800円ほどだったそうです。ブラジルで、安い地元の店を探して食べても1食1300円くらいしたそうです。

一応スペイン語とポルトガル語ができる彼が地元目線で店を探してこの値段ですから、一般の日本人観光客が旅すると円安に苦しめられるのは間違いないでしょう。私がブラジルに行った25年前には、なんでも激安で驚いたのにエライ変わりようです。

「物価が安いと思って中南米を選んだのに、物価が高くて驚いた」とは彼の証言です。中南米のインフレはひどいですが、それ以上に日本円の価値低下がひどいのです。

かつて、経済学の巨人ケインズは「国家を破壊する最も簡単な方法は、その国家の通貨を破壊することだ」と述べました。

この10年、日本政府と日銀が日本の通貨を破壊する政策を続けてきた結果、私がベビーチャームに3倍の値段を払わなくちゃいけなくなったのです。

その上、中間層高齢者の老後安心の柱である預貯金に金利が付かないので、預貯金頼みの高齢者の資産は急激に減少する一方です。あまりの金利の低さと物価高にキレたのか、私の地元である枚方市の三井住友銀行の窓口で、去年の夏ごろ、「全財産をドルに替えたいんだけどどうしたらいい？」と大声で聞いている高齢男性がいました。

その後若干円高ドル安に振れましたので、あのとき全財産をドルに替えていたら、現在、相当な含み損を抱えているはずです。長期的に見てこの男性の運命がどうなるのかはわかりませんが、高齢者が焦って失敗する気持ちはよくわかります。

政府日銀は、「2023年の後半には物価上昇率は1％台に戻る」と言っていました。**そうならなければ、残念ながら、日本人は間違いなく「異次元」の地獄を見ることになるでしょう。**

私は政府日銀の見通しは甘すぎると思うのです。

昆虫食騒動の背景

昆虫食騒動が一段落したところで、この問題の本質について語ってみようと思います。アナタ、昆虫を食べたいですか？

私は食べたくありません……的な、本質とはかけ離れた議論がネット上を覆っていましたが、論じるべきはそこじゃありません。

問題は、近未来において、好むと好まざるとにかかわらず、日本人の大半が昆虫由来の食べ物しか食べられなくなる時代が来るかもしれないという危機感が必要になっているってことなんです。

極論を言うと、中国人が天然の牧草を食べて育った「ワギュウ」を楽しんでいるときに、多くの日本人が「乾燥ウジ虫」で育てた養殖魚を食べる時代が来ないとも限りません。その危機感と対策が必要なのに、昆虫を食べたいか食べたくないかなんて不毛な議論をしている場合じゃないのです。

そもそも、何を食べるかは、民族の文化と密接に関係しています。

最近、睡眠薬代わりに旧約聖書を読んでいるのですが、現在読んでいる部分では、神にささげる食べ物が詳細に規定されています。

ユダヤ教、キリスト教、イスラム教の三大宗教の信者は皆同じ神である「主」を信じています。旧約聖書は、この三つの宗教の聖典です。

ちなみに先ごろ亡くなった大川隆法総裁ですが、この人は自らを「主」と規定していました。つまりキリストやムハンマドより上位の存在というわけです。私は幸福の科学の信者じゃないので、この理解で正しいかどうかわかりません。旧約聖書を読む前は、ダンテの『神曲』を読んでいたのですが、この本の中でイスラム教の創始者であるムハンマドは地獄の最下層で永遠の罰を受けて苦しんでいました。

私、最初に「大川総裁死去」と聞いたときに、大川興業の大川豊総裁が亡くなったのかと思いました。彼は健在です。なんだか急に大川興業のライブを見に行きたくなって公演スケジュールを調べたのですが、ラジオ番組の裏で行けませんでした。

大川興業はともかく、旧約聖書には食べていいもの、食べていけないものが具体的に列挙されています。これらの宗教を熱心に信じている人に食のタブーが多いのはこれが理由です。

この皆さんに、昆虫食に対してのアレルギーはあんまりありません。そもそも旧約聖書には「昆虫を食べてはいけない」なんて書かれていません。つまり、昆虫には宗教的制約がないのです。

旧約聖書の時代に昆虫を食べるなんて誰も考えなかったんでしょうね。

旧約聖書には「血」に関する記述が多く、「血を食べる」ことは厳しく禁じられています。キリスト教系の「エホバの証人」の信者が輸血を避けるのはこのあたりが理由でしょう。

一方昆虫には、古代人が意識する「血」がなかったので、食を禁じられることもなかったのだと思います。

しかし世界には昆虫を食べる文化を持つ民族はたくさん存在します。

さまざまな紀行文を読むと、中央アフリカやアマゾンなどで、昆虫の幼虫は重要なたんぱく源だとわかります。

日本でも、ある地方ではイナゴの佃煮や、蜂の子が季節の味として珍重されています。韓国の市場に行くと、絹糸を取った後に残る蚕（かいこ）のさなぎに味付けして、プラコップに入れて街頭で売られています。

私は食に対して保守的ですので、食べたことはありませんが、同行の友人が食べたところ、「カツオ節の煮たもの」のような味だったそうです。プラコップの蚕のさなぎの煮付けに爪楊枝を刺して食べると聞くと、正直なところぞっとしますが、みんな食べているのを見ると「これも習慣と文化なのだな」と納得できます。

ちなみに私は甲殻類アレルギーで、エビなどを普段は口にしませんが、エビやシャコってよく見るとかなり不気味です。これを食べるのが当たり前だから我々は平気でシャコを口にしますが、食べる文化のない人が初めてバケツの中で動く大量のシャコを見たら、間違いなく卒倒すると思います。ナマコやウニだって似たようなものでしょう。

食ってそんなもんです。

◆鳥インフルエンザだけが原因ではない卵の高騰◆

さて昆虫食です。昆虫食の可能性が世界的に論じられるようになったのは、人間が日常的に食べている牛や豚などの他のたんぱく源に比べて、昆虫が、圧倒的に少ないエサで多くのたんぱく質を効率的に生産できるからです。

肉、特に牛肉を生産するには、とてもたくさんの植物由来のエサと水が必要です。同じ量の植物と水を使えば、昆虫なら、牛肉とは比較にならない量のたんぱく質を短時間に大量に生産できることがわかり、今世界的に、人口過剰な未来のたんぱく源として昆虫が注目されているわけです。

これだけ聞くと、「なにも日本人がわざわざ昆虫を食べなくても」と思いますが、**さまざまな資源の獲得競争で中国に「買い負ける」時代になっている今、このまま円という通貨が破壊され続けると、やがて日本の農家が輸入の飼料が高くて買えない時代が来るでしょう。**

最近スーパーから卵が消えたのは、鳥インフルエンザの流行で多くの鶏が殺処分されたからですが、同時に、鶏のエサが高くなりすぎて、日本での養鶏が採算的に厳しくなっているという背景もあります。

円安で家畜のエサが買えなくなって日本の食卓から食品が消える、という事態は、もはや妄想ではありません。そんな時代に昆虫が「救世主になるかもしれない」というわけで、今、世界中の大学などが研究を始めています。

昆虫を直接食べるとなると、民族的あるいは文化的ハードルが高いので、魚の養殖のエサに使うことなどがかなり真面目に考えられています。

魚の養殖には現在、イワシの魚粉や大豆かすの粉末が使われていますが、これらのエサの値段が高騰し始めています。徳島大学はこのあたりの将来を見越して、昆虫でたんぱく質の粉末を作る研究を事業化し、そこで作られた粉末が徳島県の学校給食で実験的に使われたことが、ネット上の議論に燃料を投下することになったわけですが、私は、子どもたちが日本の直面する現実を知る機会になるなら、悪い試みじゃないと思います。

このあたりは教師の資質次第で、**教室で子どもたちが「うわ、気持ち悪い」と言って終わったのでは意味がありません**。その点で、ネット上の議論も、このネタを扱ったテレビでの議論も、いずれも本質から遠いところで終わってしまったのが残念です。「中国人が高級和牛を楽しむ時代に、日本人が昆虫をエサにした養殖魚しか食べられない時代が来るかもしれない」

その危機感が必要なのです。

ネット詐欺と銀行口座

私は過去に2回、ネットショッピングの詐欺に遭ったことがあります。

1回目はあるときに「**高価なサフランを自分で作ろう**」と思い立って、サフランの原料を得るためにクロッカスを買おうとしたケースでした。

サフランはある種のクロッカスの花のめしべで、産地ではこれを手作業で集めるために、極めて高価な食材として流通しています。自分で使う分くらいは、自分で花を育てて収集して乾燥させればいいだろう、とある日考えたのです。

そのためには大量のクロッカスが必要です。ネットでいろいろ調べて「クロッカスの種100個千円」で売られているのを見つけました。そもそもクロッカスは球根で「種」という表現がおかしいのですが、「詐欺被害に遭っても1000円だろう」と安易に考えてポチッとしました。

結果、何も送られてきませんでした。

決済はクレジットカードで済んでいるはずですが、実はこれも確認しなかったので、

1000円引き落とされたかどうかもわかりません。確かなのは、サイトの購入ボタンをクリックしたのに、何も届かなかったということだけです。「クロッカスの種100個千円」は、どう考えても怪しいですよね。

これが、私がこうむった1回目のネット詐欺で、2回目はもっと鮮明に記憶しています。あるとき、「スピード・ステッチャー」というレザークラフトに使う特殊な器具をネットで探していて、有名ネットショッピングサイトと全く同じ商品が、有名サイトより1000円安く売られているサイトを発見したんです。

この道具は、硬い革を効率よく縫うための道具ですが、私は傷んだヨットのセールを洋上で修理するために探していました。当時アメリカ製で8000円前後、中国製の安いコピー商品なら2000円前後で手に入りました。

私はアメリカ製を買おうとしたのですが、あるサイトで、他のサイトと全く同じ写真の商品が1000円安く出品されていたのです。いつものようにクリックすると、決済はコンビニ振り込みを指定され、振り込みに必要なデータがパソコンに表示されました。

指示通り、すぐに近くのコンビニで振り込んだのですが、その後、音信が途絶え、商品が届きません。

当時、ネット上の詐欺サイトが問題になっていた時期で、試しに私が購入したサイトのURLを調べると、見事に詐欺サイトのURLリストの中にありました。このときの損失は6000円強ですが、私にとっては痛恨の記憶です。

でも、今回、この記憶のおかげで私のセンサーが働き、詐欺を未然に防ぐことができました。

◆詐欺サイトが口座を買い取っている?◆

今回私が買おうとしたのは、2人乗りのボートです。去年から、ヨットで全国の島めぐりを始めたのですが、島によってはヨットの係留場所がなく、近くに錨泊(びょうはく)して、そこから小型ボートで上陸しなくちゃいけないケースがあります。

このため、昨シーズンはビニールボートを使ったんですが、このボート、2馬力のエンジンを付けると、本体が千切れそうな感じです。もう少ししっかりしたボートを自作しようとしてるんですが、ある日「買ったほうが安いかも」と考え直していろいろ調べると、「スポーツヤック213」というフランス製のボートを発見したんです。

このボート、軽くて強度と弾力がある高密度ポリエチレン素材のボートで、不沈構造になっていて、12キロまでの船外機を取り付けることができます。ポリ塩化ビニールやゴム素材のボートより軽く、破裂して沈没することもありません。

どうしても欲しくなったのですが、このボートを作っていたフランスのビック社がこの部門を他社に売却してしまったようで、中古品しかサイトで見つかりません。

その上コロナ前には5万円前後だったものが、中古でも4万円以上、新品には10万円を超える値段を付けているところもありますが、それもほとんどが「在庫切れ」表示になっています。

途方に暮れながらネットサーフィンしていて、なんと2万3800円で新古品が売りに出ているのに気がつきました。思わずクリックすると、メールアドレス、パスワード、住所などを打ち込むページが開き、どんどん空欄を埋めていくと最後に「注文ありがとうございました」と表示されました。

支払方法は後日メールで送ってくれるとのことでした。

これが土曜日の話で、週末は何もなく、週明けの月曜日、注文を受け付けた旨と、支払いが完了したらボートを送る旨のメールが届きました。

実は土曜日に申し込んですぐに、「これは前回のスピード・ステッチャーを買ったときの詐欺によく似ている」と感じたのです。すぐにクレジットカード決済できないなんて、今時のネット通販ではあんまり聞いたことがありません。

土曜のうちに、「販売元」と書かれていた会社のホームページに行くと、「当社を騙る詐欺サイトにご注意ください」と真っ先に表示されます。

一瞬目の前が暗くなる感じがしました。だって、私がボートを買ったサイトは詐欺サイト確定で、そこにパスワードを含む私の個人情報を全部打ち込んでしまっています。クレジットカード番号を入れなかったのと、支払いを済ませていないのがせめてもの救いです。でも、サイトに入力したパスワードは、私が普段アマゾンや楽天のサイトで使っているものと同じです。

「マズイ」と気がついて、この日のうちに、詐欺サイトに打ち込んだパスワードを使っている他のサイトのパスワードを全部変更しました。これで一安心です。

こうして何事もなく週末が過ぎ、月曜になって「詐欺サイト」と思われるサイトから日本人名で振り込みの案内が来ました。

指定された口座を見て詐欺サイトであることを確信しました。振込先が法人名でなく、「グエン・ヴァン・某」という外国人名で、地方銀行の普通口座が指定されています。ベトナム人っぽい名前ですね。

どうやら日本で口座を持っていた外国人労働者が本国に帰る際などに、詐欺サイト運営者が口座を買いとって、それを詐欺の受け皿に使っているようなんです。法人から買ったのに、振込先が外国人名義の個人口座っていかにも怪しいですよね。

私の場合、今回の前に２度詐欺サイトに引っかかっていたために、センサーが働きましたが、そうでなければ何も考えずに２万３８００円を振り込んでいたと思います。もしかするとパスワードを悪用されていた可能性もあります。もちろん当該サイトが詐欺でなく、**２万３８００円を振り込んでいたら、自宅に素敵なボートが届いた可能性もゼロではないですが、**たぶんそれはないでしょうね。

かなり真剣にサイトを漁っても入手困難なボートが、そんな格安価格で出ているはずがありません。最初からこの発想があれば、そもそも個人情報を詐欺サイトに入力することはなかったんですが、ボートを見つけたときには「やった！見つけた！」と思ってしまったんです。「敵」の思惑通りの思考経路ですよね。

それにしてもスピード・ステッチャーにしてもスポーツヤック213にしても、一般の人がまず注文しないような特殊な製品で詐欺が行われているのに驚きます。

これがロレックスの時計とか、エルメスのカバンとかなら警戒心が働きますが、「まさかこんなマニアックな商品の詐欺サイトはないだろう」と考えてしまうんですよね。

皆さん、私を「しくじり先生」だと思ってぜひ参考にしてください。

日本企業から失われた技術と資金

1年待たされたスズキの軽自動車ジムニーが、ようやく納車されました。今年の春に販売店から封書が来たので「いよいよ納車か」と勇んで封を切ったら、中は「担当者交代のお知らせ」で、末尾に納車が遅れていることのお詫びが記されていました。

申し込みをしたときには、「メーカーにプレッシャーを与えるために、納車時期を2022年末にしておきますね」と言われたんですが、その言葉には全く効果がなかったようで、結局丸々1年待たされました。

いろいろ聞くと現在、都市部の販売店で1年待ち、地方の販売店は1年半待ちが普通のようです。同時期にもう1台、大排気量のガソリン車を「人生で最後に乗る内燃機関車」のつもりで申し込んだんですが、こちらは音沙汰なしです。ちなみにこちらは申込時に「申込金」として100万円を払っています。ジムニーに申込金はありませんでした。

100万円の申込金を払ったのに、丸々1年間完全に音沙汰なしなんてふざけていますが、**今一部の自動車は、「売ってやる」って感じになっています。**

この大排気量車の納車が遅れた理由は半導体でなく、「ハーネスの手当てが付かなかいため」と聞かされています。「ハーネス」とは電子部品の塊となっている現在の自動車の部品を繋ぐ銅線の束です。

直近では中国の経済減速による需要減で銅の国際価格が低下しているようですが、それでも銅が高価な金属であるのは間違いないです。スマホから自動車まで、電気で動く製品が増える現代は、導電性の高い銅の需要が高まる一方で、この確保に世界中が四苦八苦しています。

昔、治安の悪い途上国やアメリカなどでは電線を盗んで換金する犯罪が多発しましたが、**日本でも時々、設置されている電線や、鉄でできている側溝の蓋が盗まれる事件が報じられるようになってきました。**

日本の道徳観低下と貧困化がじわじわと進んでいる証左じゃないかと危惧しています。

自動車の「ハーネス」は銅の塊みたいな製品で、しかも自動車によって規格が違うのを手作りしなくちゃいけないので、私が発注した車のハーネスは東欧で作られているそうですが、この東欧の工場が、上手く稼働していないようです。

もう一つよく言われる自動車生産のボトルネックになっているのが半導体不足ですが、先日、自動車に搭載されている蓄電池の電気を家庭で使える装置を作っているメーカーに行って話を聞いたところ、やはり「半導体の値段が上がって困っています」という答えが返ってきました。

その会社が使う高度な技術を要する半導体は、現在日本で製造していないそうです。半導体の性能を比べるにはいくつかの指標がありますが、現在残念ながら日本で生産できる半導体は主要な指標による比較で、アメリカ、ドイツ、台湾、韓国などのメーカーに比べて1桁低く、重要部品は輸入に頼らざるを得ないのだそうです。

サミット前後に岸田政権は、海外の半導体メーカーに国内投資を呼びかけて「成果を得た」と報じられましたが、その海外メーカーの中には台湾、韓国のメーカーも含まれています。半導体分野で間違いなく日本が世界をリードしていた時代があったのに、たった20年ほどでなんでこんなことになってしまったのか、今起きていることを正確に伝えずに正しい世論形成ができなかったマスコミと、日本の政治家は猛省しなくちゃいけないと思います。

だって、10年ほど前、「韓国経済は破綻寸前」「中国経済はもうすぐ崩壊する」と、さかんに日本の一部マスコミは伝えましたが、それから10年、日本政府が韓国メーカーに半導体工場への出資を呼び掛ける事態になっています。現在熊本県に建設中の半導体の大工場は台湾の出資です。

ちなみに現在日本におけるテレビの出荷台数1位は「レグザ」ですが、この会社、現在東芝が持っている株は5％だけで、実質は中国メーカーの傘下企業になっています。日本のメーカーのように聞こえますが、実態は中国企業です。

シャープが社名はそのままで、台湾企業の傘下にあるのはよく知られていますが、「東芝」などの老舗家電ブランドが中国資本の下にある認識は日本人には乏しいかもしれません。

ちなみにレグザが、テレビの視聴データをオンラインで全数把握して、その情報を広告代理店などに販売しているのはあまり知られていません。日本で「視聴率」と言うとビデオリサーチ社が有名ですが、実はサンプル抽出調査のビデオリサーチの調査よりも、全数調査のレグザの調査のほうが信頼度は高いのです。**レグザのテレビで「日本人が何を見ているか」「日本国民の関心事は何か」等のリアルタイムのデータが「中**

国に筒抜け」と考えるべきでしょう。安全保障上、これは大問題なのですが、マスコミは一切報じません。なにせレグザは日本で一番売れているテレビで、広告出稿も多いですからね。

また東芝はかつて高価で買収した原発の老舗企業ウェスチングハウス社を1ドルで手放しましたが、この会社を買収した外国企業は、ウェスチングハウスの価値をあっという間に1兆円超えまで高めました。

日本の経営者はいったい何をしているのでしょうか?

こういった事実を的確に伝えていない日本のマスコミの劣化もひどいです。

◆減少し続けるガソリンスタンド◆

さてジムニー納車で、私が買う内燃機関車は「ラス前」になります。

2年待ちの次の車の納車前に死んでしまわないかが気がかりです。その先まで生きていたら、2年待ちの車の次に買う車は間違いなく電気自動車になります。

日本では、現在販売されている新車のうち電気自動車は2%ですが、ヨーロッパは

9％、中国は20％、ガソリン大衆車の元祖アメリカですら新車の6％が電気自動車です。日本では、巨大自動車企業の「子ども社長」が長年電気自動車に消極的で、経産省などと組んで世論形成を含めて電動化に後ろ向きの政策を続けてきた結果の数字ですが、車の電動化は止められません。

国内を走る車の一定以上の比率が電動車になった瞬間に、ガソリンスタンドの経営が苦しくなって、どんどんスタンドがなくなっていきます。

ガソリンスタンドが減ると、自宅で給電できる電気自動車の優位性は一気に高まります。確かに今、長距離を電気自動車で移動するのは不安です。先日、私の知人が20キロワット時の蓄電池しか搭載していない軽自動車規格の電気自動車「日産サクラ」で東京～大阪間を往復しましたが、不安なく走るためには往路だけで5回、急速充電器の世話になったそうです。

今、ベンツやポルシェなどの電気自動車は100キロワット時近くの蓄電池を搭載していますから、東阪移動でも1回充電すれば不安なく走り切れるとは思いますが、長距離を走る場合の優位性は今でも間違いなく内燃機関車が上です。

しかし、地方で普及する軽自動車のように、自宅から駅やスーパーまでの足として

■給油所数の推移

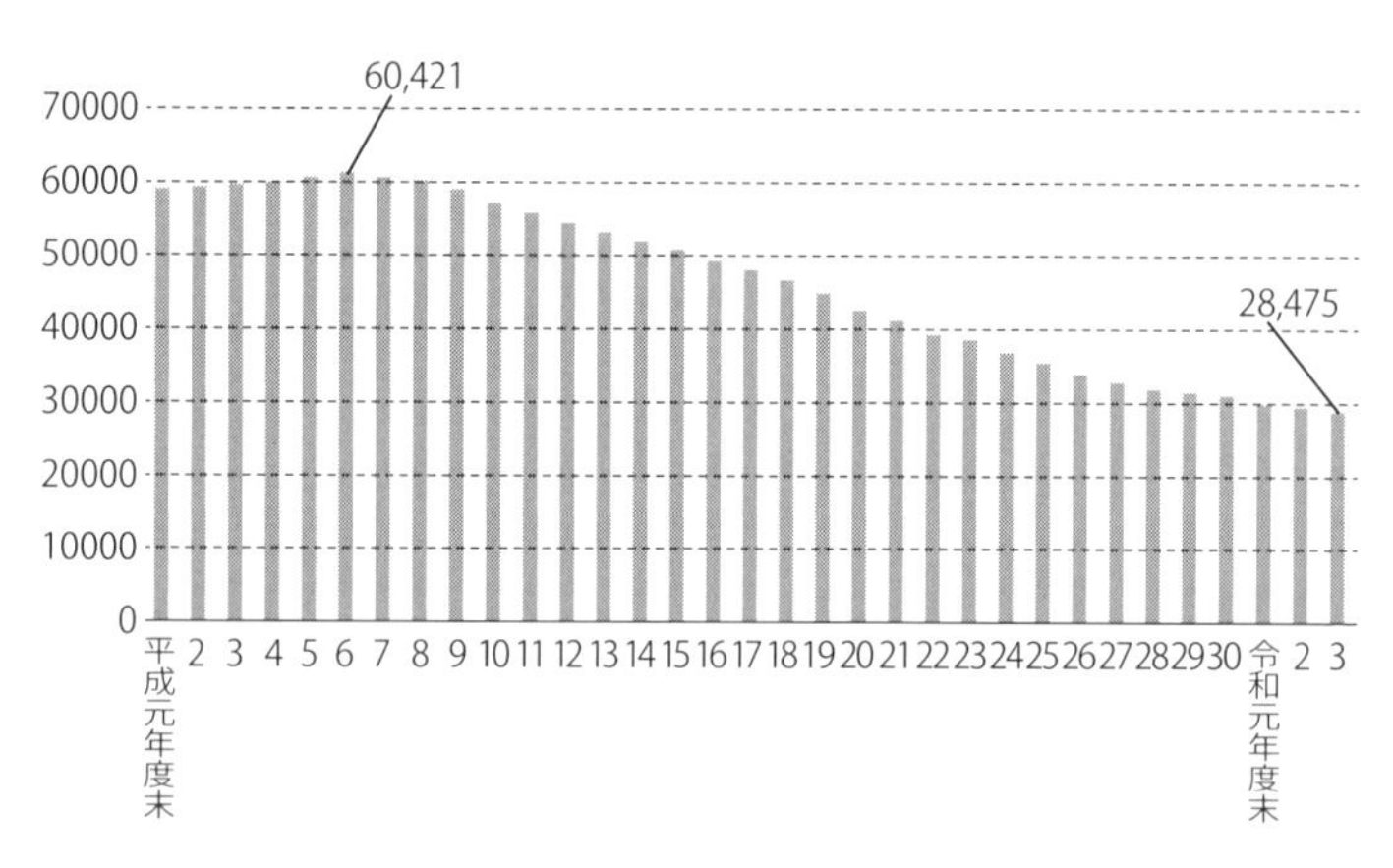

経済産業省資源エネルギー庁発表資料より作成

使うなら、自宅で給電できる電気自動車の利便性は、ガソリンスタンドが消滅しつつある地方では圧倒的にガソリン車を上回ります。

　電気自動車がある地域で一定台数以上普及した瞬間に、ガソリンスタンドが消滅し、電気自動車以外の選択肢がなくなって電気自動車の普及が加速していきます。家庭に一定台数以上の電気自動車が普及するということは、「電気は貯めておけない」という従来の概念がひっくり返されるということです。

　太陽光発電などで作った昼間の余剰電力を自動車に貯めて夜間などに使い、時々近隣を移動する際の足として自動車を使う、電力会社からは不足分だけの電気を買う、そういう時代が来るのは必然です。日本以外の先進国ではそのタイミングはもうすぐそこに迫っています。日本でも間違いなくその瞬間が来ます。皆さん、備えましょう。自宅で電気を作って自動車に貯めて、それを取り出して日常生活を送る時代はすぐそこです。

まぁ、それまで私が生きているかは疑問ですけどね。

最後の内燃機関車

前項を私のメルマガで配信したころ、丸々1年間音沙汰なしだったもう1台の予約車の生産が始まるという電話がかかってきました。２０２３年9月に生産が始まって納車は年末から年始になるそうです。

このタイミングがオプションを変更できるラストの機会だそうですが、私はこの車を「人生最後の内燃機関車」として買うだけで、特にオプションは付けないつもりです。ただ「リアエンジン・リアドライブ」という二輪駆動だと運転が難しい「特殊な車」なので四輪駆動車を発注しました。

排気量が約3リットルで燃費は7キロ台ですから、この車が来ても私の普段使いは軽自動車のジムニーになりそうです。

もったいない話ですが、とりあえず生きている間に納車が間に合いそうで喜んでいます。下品な言い方をすると「あの世に金は持っていけない」ですからね。乗らない車にパーッと散在するって気持ちいいじゃないですか。

人間、裸で生まれてきたのですから、裸で死んでいくのが自然でいいのだと思います。車なんか、一回乗ったら充分です。

この車、実は私が欲しかったというより、カミさんが口癖で「子どもの頃から、大人になったら乗ってみたい車が二つある」と言い続けていて、そのうち一つは7年前に買いましたから、この車が納車されると、これで私の責任は終了です。

これだけ尽くしているのに、夫の世話は何もしません。ホント、「デカいペット」くらいに考えないとやってられません。

家事全般私のほうが上手なので昔はよく腹を立てていましたが、「デカいペット」と考えるようになってから腹が立たなくなりました。セントバーナードに家事を期待しませんからね。

でもこの「デカいペット」、なぜか子どもたちには絶大な信頼を勝ち得ているようで、「お父さんには知らせないで」という家庭内の秘密を一杯抱えているようです。

そういえば創作川柳に「話せれば　絶対チクる　ウチの猫」というのがありますが、そんな感じですかねえ。

話が大きく逸れました。「最後の内燃機関車を買う」ということは、「その次にもし車を買う機会があったら確実に電気自動車になる」という話です。

数年前から、YouTubeの取材などで電気自動車に乗り始め、実際にいろいろ体験して見えてきたことがあります。

◆失われた規格の優位性◆

結論から言うと、日本はこのままではマズイです。**せっかく世界最高の技術を持っていたのに、大手のメーカーや行政、政治の判断の誤りで間違った道に進みつつある日本の現状をひしひしと感じるのです。**

私がここでその現状を書いてもその状況が簡単に変わるとは思えませんが、このままだと日本製の携帯電話が世界市場から消えてしまったのと同じことが自動車の分野で起きてしまうような気がするのです。

電気自動車には、ガソリンの代わりに電気を注入しなくてはいけません。

電気はガソリンと同じようにエネルギーの塊ですが、短い時間で大量の電気を自動車に注入するのはそんなに簡単な話ではありません。日本の電気自動車にはそのために必ず大きなコンセントが二つ搭載されています。

一つは家庭の交流電源から電気を取り入れるためのコンセントで、もう一つは「急速充電器」と呼ばれる大電流の直流を車に注入するためのコンセントです。日本方式では必ず二つコンセントが必要なのです。

このシステムには「チャデモ」という名前が付けられて、**世界標準の電気自動車への充電規格として国際機関に認められましたが、残念ながらその後急速に電気自動車シフトを進めたヨーロッパ、アメリカ、中国はそれぞれ別々の充電規格を採用してしまいました。**

この中で中国の規格は日本の「チャデモ」に一番近く、将来互換性を持たせようとする動きもありますが、現状では互換性はありません。

私、日本の規格はダメだと思います。

家庭充電用と急速充電用と二つのコンセントが必要なのは「チャデモ」だけで、他の方式ではすべてコンセントが一つです。

実際日本の電気自動車に乗るとわかりますが、二つのコンセントが車の左右に分け

2010年3月15日、「CHAdeMO（チャデモ）協議会」設立時の様子。協議会会長には勝俣恒久氏（左から3人目、東京電力会長＜当時＞）が就任し、東京電力および国内自動車メーカー4社が幹事企業となった（写真:時事）。

て設置されています。今の内燃機関車でも給油口の位置に戸惑うことがあるのに（実は内燃機関車のメーターパネルのスタンドマークには小さな▷印があり、車の左右どちらに給油口があるか運転席で確認できます）、コンセントが2種類あるって人間工学的に間違ってます。

普通充電のコンセントは「夜の間に一晩かけて自宅で充電する」という場合に使うもので、急速充電コンセントは「高速道路などに設置されている急速充電器を使って30分である程度の距離を走れるように充電する」という場合に使います。

電気自動車のバッテリーは直流で、家庭の電気は交流ですから、コンセントが二つあるのは「技術者目線」からは合理性があるのですが、ユーザーとしては何のメリットもありません。こんなもの世界標準になるはずがありません。

そもそも「チャデモ＝ＣＨＡｄｅＭＯ」は「CHArge de MOve（動くための充電）」の短縮形に加えて、「充電している間に『茶でも（チャデモ）飲もう』という」意味が含まれているそうです。「こんなダジャレが世界で通用するはずがないだろう！」と赤面してしまいます。

しかし、チャデモには世界の他の充電方式にはないメリットもあります。

それは、車の電気を家庭の交流電源として使えることです。そのためには数十万円で売られている装置を家庭に設置する必要がありますが、将来電気自動車を蓄電池として家庭で使うことを考えたときには他の充電方式にない優れた規格と言えます。

ところがこの最後の優位性が今急速に陳腐化しつつあります。

ヨーロッパでは、自然エネルギーで作った電力を家庭で蓄えることで社会全体のエネルギーバランスを構築する方向に各国の政策の舵が切られていて、その核となり得る社会インフラとして、急速に普及する電気自動車を電灯線に繋ぐ未来が意識され始めています。そのために電気自動車の電力を家庭で使うシステムの構築が始まり、「自動車の電気を家庭で使えるのはチャデモだけ」という優位性が近々崩壊しそうなのです。

アメリカに至っては、電気自動車に直接家庭用コンセントが設置されていたり、車の電力を他の車に流す、自動車同士が電気を融通し合えるシステムの搭載車まで出始めました。「チャデモ飲んでいる間に充電」なんていうダジャレで遊んでいる間に、日本の自動車業界はとんでもなく間違った道に入り込んでしまっているようです。

ただ家庭用蓄電池の小売価格が異様に高い今は、「走れる蓄電池」である電気自動車を家庭用蓄電池として使う意味がありますが、法的に許されている家庭用の蓄電池容量が17・76キロワット時という日本のアホな制限が緩和され、異様にマージンが大きい家庭用蓄電池の値段が下がった未来においては、わざわざ自動車から電力を取り出す必要がなくなるでしょう。

その意味で、今世界で起きているのは「過渡期の現象」に過ぎないのですが、それでも、コンセントが二つあるのに自動車の電気を器具なしに直接家庭で使えない日本のシステムは、あらゆる意味で間違っています。

近未来で成功するためには、「コンセントが一つ」「自動車の電気を直接家庭で使える」という二つの要素が絶対に必要です。

コンセントが二つあって、自動車の電力を家庭で使うのに別の装置が必要な日本の現状を即刻見直さないと、日本の自動車産業の未来は暗いでしょう。


もう一つ電気自動車に関してオマケの話です。

中国のＢＹＤの電気自動車が日本に上陸しましたが、あんまり売れてないようです。でもね、実際に乗った体験から言うと、この中国の電気自動車の性能は「圧倒的」です。車としての質感や走りに違和感がなく、なによりバッテリーの持ちが優れているんです。

ＢＹＤに搭載されているリン酸鉄のバッテリーは日本車などに搭載されている「三元系」と呼ばれるバッテリーより能力が低いはずなのに、走行実感として蓄電池の持ちが良いのは、バッテリーのコントロールシステムが優れているのだと思います。その上リン酸鉄のバッテリーは三元系より圧倒的に安全です。

私は同じ値段で電気自動車を買うなら、中国に金が流れることを考えなければＢＹＤを選ぶと思います。**実際には中国企業になってしまったレグザやボルボを買わない**

のと同じで、中国の共産主義が終焉しない限り、中国に直接金が流れる商品の購買はできるだけ避けますけどね。

もしアップルがＢＹＤ並みの性能の電気自動車を市場に投入したら日本の消費者はどう反応するか？

ＢＹＤのブランドでは誰も買わなくてもアップルのブランドなら消費者は殺到するでしょう。たとえそれが「MADE IN CHINA」でも、です。

これは日本の自動車メーカーにとって悪夢と言うしかありません。自動車がほとんど故障しなくなった今、「販売店が近くにあるメリット」は、昔ほどはありません。実際ネットで車を買う人も出てきているくらいです。そんな近未来に、官庁、役所、メーカー、マスコミは備えなくちゃいけないのに、路面に敷いた電線の上を走るカートにしか自動運転の実験機会を与えず、それをマスコミが「日本初のレベル４の自動運転」なんて呼んでいるようでは話になりません（２２９ページ）。

２０２３年７月、日産は２０２５年以降にアメリカとカナダで発売する電気自動車の充電規格に、テスラ方式を採用することを発表しました。

また同月、ＧＭ、ホンダ、メルセデス・ベンツなど日・米・欧を中心とする自動車メーカー7社は、合同で会社を作って、アメリカとカナダに3万基の急速充電スタンドを作る計画を決めました。

この会社が採用するのはテスラ方式と、欧州で普及が進むCCSの二つの規格で、チャデモは採用されませんでした。

「勝負あった」感じがします。残念です。

第3章

日本や世界を訪ねて見えたこと

道路財源は誰が負担するのか

2022年秋、長野県の千曲市に講演に行きました。

驚いたのは、長野駅から千曲市まで送迎してもらったときに乗ったハイブリッドのレクサスの燃費について、「リッター17キロくらい走ります」と聞いたことです。

昔の高級車はリッター7キロ走れば「かなり燃費の良い車」とされていましたし、5ナンバー、排気量2000ccくらいの自家用車でも、燃費がリッター10キロはまず届きませんでした。

私が最初に買った360ccツーサイクルのスズキジムニーの燃費もリッター10キロはとてもいかなかったです。まあ、ジムニーの燃費は軽自動車の割に最新型でもかなり悪いですけどね。

レクサスのハイブリッドの燃費が特別いいわけじゃなく、ウチのカミさんが乗っているディーゼルのベンツは車重2トンほどありますが、リッター15キロくらいは平気で走ります。

そこで昨今問題になっているのがガソリン税の減収です。

昔は道路特定財源だったガソリン税は一般財源化されて何にでも使える財源になりましたが、**他の燃料関係の税収と合わせると年間総額約4兆円と国の総税収の5%をはるかに超える重要な税収ですから、これがなくなると道路の補修もままならなくなると危惧されているのです。**

ガソリン車の燃費がどんどん良くなったせいで、ガソリン税収は下がり、現在ピーク時に比べると2～3割減になっています。今ですらこの状況ですから、電気自動車が普及する近未来においてガソリン税収がほとんどなくなるのは容易に想像できます。

電気自動車にも道路や橋やトンネルが必要で、その建設費、維持費をどうするの？というのが今始まっている議論です。

私は近未来において、「日常の足としての車」はすべて電気自動車になると予想しています。逆にだからこそ「最後の内燃機関の自動車に乗りたい」と突然思って、イマドキあり得ない排気量3リッターの車を発注してしまったのです。

電気自動車の中で、2022年に発売となった軽自動車規格の日産サクラと三菱eKクロスEVが売れている話は前著に書きましたが、地方では圧倒的に小型の電気自動車に需要があります。

まず、駐車場所に困らない地方では一人一台の車が当たり前です。最近地方のガソリンスタンドが激減していますから、自宅のコンセントで充電できる電気自動車は本当に便利です。非力なバッテリーしか積んでいない軽自動車規格の電気自動車でも、1回の充電で100キロくらいは楽に走れますから、日常の買い物や通勤には充分です。

その上圧倒的に燃費が良いです。

地方のイオンの駐車場などには無料の充電器が置いてあるところがあり、当面「燃費タダ」で走れます。もちろん、一定以上電気自動車が普及したら無料の給電所はなくなるでしょうけどね。

地方では一家に複数の車があるのが普通ですから、家族で長距離を走るときには内燃機関車を使えばいいわけです。

この状況を見ると、日本上陸が予定されている中国の格安電気自動車は、日本の自動車産業にとって「黒船」になってしまうかもしれません。なにせこの車、中国での価格が日本円にして50万円程度、日本向けにさまざまな改造を施しても200万円以

2021年4月の上海モーターショーで展示された、上汽通用五菱汽車の「宏光MINI EV」コンセプトカー（写真:CFoto／時事通信フォト）。

下の価格設定になるでしょう。

現在日本で使える電気自動車の補助金を考えると、昔の日本の軽自動車感覚の価格で買える「燃費タダの車」は魅力的です。

「外車に補助金はダメ」なんて制度を作ることは困難です。サブの軽自動車に「車格」を求める人は少ないですから、「中国車」に対する抵抗感もそんなに大きくないでしょう。

これらの電気自動車は、家庭の電気で充電できるだけじゃなく、災害などで停電した際に家庭に給電できます。家庭から自動車に充電することを「Ｈ２Ｖ」、自動車から家庭に給電することを「Ｖ２

H」と言います。

これから確実に一般化する言葉ですから覚えておいてください。Hはホーム、Vはビークル（車）、2は「to＝～から～へ」の意味です。

家庭に1台電気自動車があるということは、家庭に数日～1週間程度使える蓄電池があるのと同じことです。電気自動車が一定以上普及すると、「電気は貯めておけない」という従来の常識が非常識に転じます。

我々は、エネルギーの歴史的転換点に立っているのです。今の時代は、家庭の主エネルギーが薪と炭から電気とガスになったとき以降最大の転換期と言えるでしょう。

この主導権を日本のメーカーが握れないのはなんとも残念です。電気自動車を否定し続けた某大手自動車会社経営者と役所の判断ミスの結果、日本が沈没するかもしれない瀬戸際を迎えているのです。彼らの罪は重いです。

◆走行税はいつ実現するか◆

さて話を元に戻しましょう。世の中の大半の自動車が電気で走る時代になったら、日本中のガソリンスタンドは潰れていくでしょうし、それがさらに電気自動車の普及を加速させることになります。

一定台数以上の電気自動車が日本を走るようになると、加速度的に電気自動車シフトが始まります。その時代はもう目の前です。

そうなると当然ガソリン税の税収が落ちていき、今、中央政界で俎上に上っている「走行税」が現実化します。どうやって、どのタイミングで走行距離を調べて課税するのかなど、具体的な制度設計は難しいですが、私はそもそも、この発想自体が古いと思っています。

自動車が一部の人にしか恩恵を与えていなかった時代、「一部の自動車を持っている人しか恩恵のない車道を整備する費用を、自動車ユーザーが税という形で負担するのは当たり前だ」というのがガソリン税の発想の原点でした。

しかし今は、物流などを考えると、国民すべてが自動車の恩恵にあずかる時代です。国民みんなが利用するものは、国民みんなで負担するのは当たり前です。

だったら道路整備などをガソリン税で行う発想をやめて、税源を所得税、消費税、法人税に整理統合し、一般財源を使って必要な道路を整備すればいいのです。

これができないのは、道路特定財源時代に確立した堅固な利権集団、いわゆる既得権益者に不利益を与える変革ができないからです。

日本はとても素晴らしい国で、たった一軒の山の上の茶農家のためだけに道路を作ったり、数十人しか住んでいない山間の集落にトンネルを通したり、１００人も人がいない離島に数百億円かけて自動車の走れる橋を作ったりしてきました。

もうそんな時代じゃありません。世界では後10年くらいで日常の足はすべて電気自動車になり、さらにそれから20年くらいの間に中長距離の移動には乗用ドローンが使われるようになるでしょう。ドローンで人々が移動する時代に、道路も橋もトンネルも必要ありません。今、世界はその転換期に入っています。

しかし、日本のように異常に規制が多く、既得権益者の利権を守ることに政治が情熱を傾ける国では、「乗用ドローンは飛行機と同様の型式証明が必要で、操縦するにはパイロットの免許が必須」なんて規制が続きます。

既得権益者を守るためにはこの方向性が必要なんです。**でもそんなことしてたら、日本はあっという間に「車が道路を走る遅れた国」になってしまいます。**

「遅れた国」でも人々が幸せに暮らせたらそれでいいんでしょうけど、残念ながら、既得権にまみれた今の日本の延長線上には「貧しい不幸な国」しか見えてこないのです。

皆さん、今の日本は危機的状況ですよ。

地方独自の政策が取れない理由

「民間放送教育協会」主催のイベントに出席するために秋田市に行きました。この組織の存在を、私、民間放送に40年近く勤務していて初めて知りました。

聞くと、地方の老舗放送局がネットワークの枠の外側で作っている組織だそうで、関西ではＡＢＣ朝日放送が加盟しているだけなので、私は現役時代に全く縁がなかったのです。

幹事局は元々「教育テレビ免許」を受けていた旧・日本教育テレビ（現テレビ朝日）です。今のテレビ朝日は我々の世代が子どものころは「ＮＥＴ（日本教育テレビの略称）」という局名でした。

この組織の関東圏の幹事局はテレ朝ですが、各県一波の地方では、その地方で最初に放送免許を受けた放送局が加盟しているケースが多いようです。

恐らく放送局数の少ない地方では、最初にテレビの放送免許を受けた局が「教育局」を兼営していたんでしょう。今では「教育テレビ」というとＮＨＫの第2チャンネルしか思い浮かばない人が多いでしょうが、昔は民間放送局の中にも「教育テレビ」があったんです。

まあ、私の記憶では、他の民放とNETの放送内容は大して変わらず、だからこそ「日本教育テレビ」は「テレビ朝日」に簡単に看板を書き換えられたわけですね。

さて、このイベントで話し合われたのは、簡単に言うと「地方の生き残り策」です。

秋田県の人口は最盛期に135万人くらいだったそうですが、今は92万人ほどになっています。このまま人口が減り続けたら遠くない将来に「消滅」するのではないかという危機感が、今回のイベントに繋がったようです。

でもこの状態は秋田ばかりじゃありません。2030年には東京区部ですら人口が減り始めると予測される中、この危機感は日本全体で共有すべきでしょう。

このイベントで、とても勉強になったことがある一方、いくつか強烈な違和感も覚えました。

イベントが開かれたのは、秋田市の駅前の城の中に建てられた立派なホールです。当日大ホールではTHE ALFEEのコンサートが開かれるそうで、イベントは約800人収容の中ホールで行われました。

中ホールで800人収容は立派です。ステージも大抵のミュージカルやオペラの舞台装置が組めそうなほど大きいです。この種のホール、日本中に作られています。私、講演で地方を回っていて、「このホールにこんなに人が入ったのは、開館以来今日が初めてです」と言われたことがたびたびあります。

過疎化の進む地方に立派なホールはありますが、そこでイベントをやってペイするだけの人数を集めることは至難です。そもそも人が住んでいないんですから、人気の出演者目当てに都会から人が来るレベルのイベントか、**私の講演会のように、主催者が費用を負担して来場者が無料のイベントでないと、会場は埋まらないのです。**

これらの立派なホールの建設費用が地元負担だけでできるわけもなく、都市住民の払う莫大な税金が投下されて建設されているのが今の日本の構図です。

◆財政的な蓄積が消える未来◆

この建設費確保のために頑張るのが地元出身の政治家たちです。地方政治家の存在意義は、中央から地方にいかにして公共事業費を引っ張ってくるかにあります。

かつて秋田の隣県である岩手県の公共事業に関して、地元出身国会議員の事務所を通さないと絶対に受注できないと言われた時代がありました。

この国会議員、長く与党の幹部として君臨した後に野党に転じ、最近ではさすがに往時の権力を失っているようですが、東日本大震災後に建設された東北東海岸の防潮堤の高さが、震源に近い福島県や宮城県より岩手県が高いのは、この国会議員事務所が作った土木建築利権の結果だと言われています。**防潮堤の平均高が、東北東海岸で岩手県が一番高いのは事実ですが、噂通りそれがO沢事務所の力の結果かどうかは、論証不可能ですけどね。**

最初の違和感は、このイベントに参加していた観客から飛び出しました。その女性は、「田舎には田舎の良さがある。経済成長を目指す必要はないのではないか」と言いました。

この種の意見は地方でよく聞きます。

このイベントが、秋田の海岸線の特設会場や、城跡広場の露天で行われたのなら、かなり説得力がある意見だと思います。

でもねえ、都市部の莫大な税金を使って人口92万人ほどの地域に作った立派なホールの中で言われても、「誰がこのホールの建設費用を出したのだ？」と言いたくなります。

どんな田舎に行っても電気が使え、水道が出ます。経済が成長せずにどんどん貧しくなっていったら、地域の住民が負担する税金だけでは、公共インフラの整備に使う金もなくなっていきますから、やがてランプと井戸で暮らさなくちゃいけなくなります。

世界では、水道と電気が使えない地域はいくらでもあります。どんなに高齢でも、日本では病気になったら公費で治療してもらえます。自己負担はありますが、高額療養費制度で個人の医療負担の上限が決まっていて、何千万円もする抗がん剤が日本ではほとんどタダで高齢者に投与されます。

こんな国は先進国でも世界にほとんどありません。

何度も書いていますが、医療費がほぼタダのスウェーデンでは80歳以上の高齢者に積極治療は行いませんし、アメリカでは民間の医療保険に入っていないと、一般の人にはとても払いきれない額の医療費を請求されます。

日本の経済成長が過去20年間止まってもなんとかなっているのは、長年の蓄積があ

るからです。

すでに政治家の力の弱い地方都市の道路インフラなどはかなり傷みが目立つようになっていますが、このまま日本の経済成長がストップし続けると、地方で水道が使えなくなる時代にならないとも言えません。

医療や年金なども同じ構図です。

「田舎暮らしでも幸せならいいじゃないか」というのは、基本的なインフラを都市住民が支える構造があってこそ言える話で、日本全体が貧しくなっていったら、そんなこと言ってる場合じゃなくなるんです。

◆地域特性を活かした発電へ◆

もう一つイベントで「おいおい」と思ったのは、そこに出席していた東北出身ジャーナリストが「景観を考えて、東北復興会議で東日本大震災の跡地に太陽光パネルを設置するのをストップさせた」と誇らしげに言ったことです。

イベントには秋田沖で風力発電事業を展開している事業者が参加していました。

私は「台風が多く風力の安定していない日本で風力発電は無理」という論者ですが、**これについては秋田の事業者の発言を聞いていて「少し私の見解に修正が必要かな」と感じました。**

東北の西海岸で太陽光はあまりに不経済です。なにせ冬場は雪でパネルが覆われてしまって発電できなくなりますからね。

ところがこの地域、その冬場に安定した風が吹くのだそうです。この風、長く東北に厳しく寒い冬をもたらすものとして人々に恐れられてきましたが、確かにこれを使って安定した電力を確保するアイデアは悪くないと思います。

そもそも西日本と違って秋田県は台風被害のリスクが極めて小さいです。台風のように短時間に強烈な風が吹く場合、風車が壊れないように風車の回転を止める必要があります。強すぎる風は風力発電にとって脅威なんです。

ところで皆さん、鹿児島の太陽光パネルは地面に平行に近い角度に設置されている一方、北海道のパネルがかなり直立して建てられているのに気がついていますか？

これは緯度の違いによるものです。南中時にパネルが太陽に正対するようにするには、北に上がるほどパネルを立てる必要が出てくるのです。

上は北緯45度、北海道稚内市のメガソーラー発電所（写真:時事通信フォト）。
下は北緯25度、沖縄県宮古島市のメガソーラー施設（写真:時事）。

太陽光パネルは緯度が低いほど有利です。逆に言うと、同じ設備投資で発電できる量が北に上がるほど少なくなるのです。

確かに東北西海岸では風力発電に経済合理性があるのかもしれません。イベントに参加した事業者によると、「今ウチが計画しているだけで、原発2基分の出力が確保できます。秋田の全電力が賄（まかな）えます」とのことです。これが事実なら悪くない話です。

でもねえ、これを聞きながら「実にもったいない」と思うのが、東北東海岸の東北復興事業です。

この事業では、とんでもない高さのコンクリートの防潮堤が東北東海岸を埋め尽くし、景観どころか、海に面した東北東海岸の人々の生活すら奪い取りました。

皆さん、地元にお金を落として東北復興の一翼を担うためにも、一度この地域を旅してみてください。

でも多くの人は、高さ10メートル前後、底辺の最大奥行き断面１５０メートル、総延長数百キロに及ぶコンクリートの塊に覆い尽くされた東北東海岸を見て涙するでしょう。

人類の愚かさの象徴とも言える巨大構造物を前に、「他のやり方があったんじゃな

いか?」と必ず思うはずです。

でも後の祭りです。「兆円」単位の金をかけて、東北東海岸が持っていた観光地としてのポテンシャルが大きく損なわれました。この巨大構造物は、恐らく100年ほどで土に還るでしょう。もったいない話ですね。

私は、こんな金があるなら、高齢者施設、病院、学校などを津波の心配のない高台に移転して、健康な住民は、住みたい場所に住んでもらった上で津波避難路を整備するほうがはるかに合理的で安上がりだったと思います。

これを東日本大震災直後から言い続けているんですが力不足でした。

すでに作ってしまったコンクリートの塊をどうするか?

防潮堤の一番高いところの幅は車がすれ違えるほど広いですが、もちろん道路としては使われていません。現在放置状態です。とりあえず民間に金を出させて南側斜面に太陽光パネルを設置するだけで、面積から考えて、恐らく東北で必要な電力はすべて確保できると思います。東北東海岸は、西海岸と違ってほとんど雪が降りません。

現在、ガソリンスタンドのなくなった地方を中心に、例えば東北などで電気自動車が急速に普及し始めていますが、この電気自動車は夜間の電力供給用蓄電池として機能します。

太陽光パネルが生み出す電力は、設置地面の確保費用を除くとコスト的に圧倒的に安いです。なにせ燃料が永久無料ですからね。

太陽光パネルの経済性は、我が家で20年間実証済みです。安い電力が確保できれば、それを目当てに世界中から多くの企業が地価の安い東北に生産拠点を移すでしょう。

なぜ、これほど簡単で合理的な方向に日本は政策の舵を切れないのか？

件のジャーナリストの発言を聞いて、「政治家ばかりの責任ではない」と感じた東北のイベントではありました。

習近平が持つ二つの目標

２０２２年の年末、東京で取材していると「年末年始の台湾はヤバイ」という話をよく聞きました。各方面からの情報を精査すると、「中国が一気呵成（いっきかせい）に台湾に侵攻できる態勢を固めている」という話が、日本の中枢部でじわじわと広がっているようなのです。

私は、この情報の広がり自体、防衛予算獲得などに絡んだ意図的なリークのような気がしていましたから、「年末年始の習近平台湾侵攻説」をあんまり信用していませんでした。**どのくらい信用していないかと言うと、年末年始の我が家の台湾家族旅行を決めたくらい信用していません。**

でもね、年末年始の台湾旅行を計画していて、異様なほど飛行機が取りやすかったのは事実です。

コロナ前、年末年始目前というタイミングで台湾旅行なんか計画しても、旅行代理店に「こんな時期に年末年始の台湾行きのチケットなんか取れるわけないでしょ」と言われるのがオチでしたが、2022年は、まだ中国大陸で習近平国家主席の「ゼロコロナ政策」が継続されていたこともあって、大陸からの旅行客が全く台湾に押し掛けていないためにチケットが取りやすかったようです。でも「本当に理由はそれだけか？」と思うほど容易に台湾行きのチケットが取れました。

ちなみにコロナ前、台湾には中国大陸からの観光客があふれていました。数年前に台湾北方の温泉地の中級ホテルに宿泊したとき、バスタオルを下半身に巻いただけの大陸からの観光客がエレベーターに大挙して乗っていて閉口した経験があります。エレベーターには「バスタオルだけで温泉に行くな」というイラスト付きの案内が貼られていましたが、誰も気にしている様子はありません。

1970年代の「農協ツアー」を思い出しました。当時、作家の筒井康隆さんは、『農協月へ行く』という小説を書きましたが、思えば日本人は上品になったものです。

「年末年始習近平台湾侵攻説」が広がっている背景に、5年に1度の共産党大会が終わって習近平国家主席の異例の3期目の5年間がスタートし、習近平氏の終身国家主席がハッキリと見えたことがあります。

習近平が死ぬまでに目指している大目標は二つです。

一つは台湾を完全に中国共産党の支配下に置き、毛沢東すら実現できなかった「中国の完全統一と中華帝国最大版図（はんと）実現」という実績を作って、中国史上最も偉大な「皇帝」になることです。

もう一つの目標は、「中国の国家運営の方法が西欧民主主義より優れている」と世界に見せることです。

◆愚かな民主主義より優れた独裁◆

街の人々と話しているときによく質問されるのは、「なぜ習近平という人物はそんなにも強大な権力を持てたのか？」です。この問いに対する一般的な答えは、「1期目の5年間に主だった政敵を全部塀の中に落としてしまったので、中国に習近平に対抗できる勢力が全く存在しなくなったからだ」というものでしょう。

でもこの問いを発する人が本当に聞きたいのは「どうやってライバルを全部蹴落とすほどの権力を手にできたのか？」ということですよね。

これについて私はこう答えています。

「アナタに聞きますが、アナタの会社の社長はどうやって社長になったんですか？　世襲社長でないいわゆる『生え抜き社長』が、どうやって社長になったのかなんて、なかなか説明できないでしょう。

習近平も同じです。中国の政治組織の中で長年の権力闘争を勝ち抜いて最後に残ったのが習近平というわけです」

その習近平が目指すのは、「民主主義が最高の政治システムでない」と世界に見せることです。「西欧的価値観の否定」と言い換えてもいいですね。

私は民主主義の堅固な信奉者ですが、「民主主義が他の政治システムよりも優れている」ということを証明するのはそんなに簡単ではありません。

さっきの社長の話ですが、例えばある会社で「社内を民主化しよう。今後社長は社員全員が平等に投票権を持つ選挙で決める。選挙で選ばれた社長は1期4年。2期8年を限度に引退しなくてはならない」なんて決めたとします。

その会社はどうなるか？

こう聞かれると多くの人は「そんな会社あり得ない」と答えるでしょう。でも、株式会社の場合、この民主主義の方式はすでに導入されています。

株式会社を構成する「株」には平等に会社のトップを選ぶ権利が付与されています。株を持つ株主は、その株数に応じて投票権を行使できます。

議員を選ぶ選挙の場合、一人一票ですが、株式会社の場合、株主の持つ議決権は持ち株の多寡に応じます。株式会社の株が市場公開されて「誰が株主になるかわからない」となると経営陣は不安ですから、力のある経営者は「自社株の証券取引所上場廃止」という手段などで「独裁政権化」を図ります。

我々の属する西欧型資本主義では、制度的に、社会、経済の隅々まで民主主義のやり方が及んでいるんです。

株主が権利を行使して選んだ社長より、株主としての権利を持たない社員に支持される生え抜き社長のほうが経営手腕が上なんてことはよくあります。

また世襲の場合、必ずしも優秀な人物が社長になるとは限りません。世襲会社が長持ちしづらいのはそのためです。世襲で皇帝が決まる中国の王朝が過去必ず滅びたのは同じ理由です。

日本の天皇制がこれほど長きにわたって継続しているのは、かなり早い段階で世俗の権力と精神的な権力を分離するのに成功したからです。

日本の皇室が世俗の権力にこだわっていたら、中国の王朝と同じ運命をたどってい
た可能性はあります。これは、長く存続している会社で、経営陣とは別に「創業家」
が存続するのと構造が似ています。

習近平は「トップの決定や地位そのものが、『国民の意思』という曖昧なもので不
安定化しやすい民主主義よりも、優れた指導者が安定的に権力を行使できる『中国ス
タイル』のほうが優れている」と固く信じています。

この信念を世界に広めることで、西欧社会が信奉する民主主義の優位性を否定する
ことが自分の役割だと思っているわけですね。

実際、世界の国々を見渡すと、民主主義が機能している国のほうが実は少数派です。
私は「民主主義は他の政治システムより優れている。民主主義こそが人類の最終到
達点の政治システム」と考えていますが、1000年後の人類の歴史書には「今から
1000年ほど前、世界の主要国は『民主主義』という、国民一人一人が平等に一票
を有する選挙システムでリーダーを選ぶ国家運営をしていた」などと「過去形」で書
かれてしまうかもしれません。

江戸時代の日本で現在の民主主義に相当する統治体制を考えた日本人はいたかもし

れません。

でも当時はそんなことが実現するはずもありませんし、他人に話しても「頭がおかしい」と思われるだけだったでしょう。この思考実験は、習近平の頭の中を類推するのにとても有効です。「西欧の民主主義は間違っている。自分がトップに立つ中国のシステムこそが正しい政治のあり方だ」と習近平は信じているはずです。

この思考が怖いのは、国家の意思決定に「国民」が関与できなくなることです。広く国民が国家の意思決定に参画できない状況下では、リーダーの意思一つで戦争が開始できます。**ロシアがその典型ですが、「常識ではそんなことしないだろう」という民主主義国の国民の思考は、非民主主義国家では意味がないのです。**

だから習近平の行動が怖いのです。

タイの大麻事情

年末年始に台湾に行ったのは、２０２２年のロシアのウクライナ侵攻を受けて高まる中国侵攻のホットスポットの雰囲気を感じるのが主目的ですが、２０２３年1月にタイに行った最大の理由は、世界的なバックパッカーの聖地カオサン通りのコロナ後の様子を見るのと、２０２２年6月にタイで解禁された嗜好用大麻の現状について調べることでした。

正面から大麻販売店に取材を申し込んで、許可を取って撮影するのが「基本的なジャーナリストの姿勢」であることはわかっていますが、**私、自分を「ジャーナリスト」だなんて思ったことは一度もなく**、単なる「野次馬的傍観者」として、タイの大麻解禁の現状を伝えるには、隠しカメラで黙って撮影するしかないと思ったのです。

なにせ現地滞在日数実質2日で、事前に許可を取るなんて面倒なことをしてられません。サクッと隠しカメラで撮影して、人物が判別できる箇所にはモザイク処理を施してYouTube公開するほうが、現状がよく伝わります。

私のYouTube「辛坊の旅」の再生回数上位の動画に「潜入！　地上最大の売春地帯　インド・コルカタ『ソナガチ地区』を歩く」というのがありますが、この動画も今回使用したのと同じ隠しカメラで撮影しました。

この画像も撮影許可を取っているわけじゃありませんし、そもそも非合法な地帯ですから、撮影許可なんか申請しても絶対に下りません。隠しカメラしか方法がないんですが、隠しカメラで撮影していることがバレたら、簀巻き（すま）にされてガンジス川に放り込まれても文句は言えません。いや、文句を言う権利はあるんですが、簀巻きにされてガンジス川に放り込まれたら文句を言えません。

2023年1月、淀川河口に現れたマッコウクジラの死骸は、コンクリートの錘（おもり）が括り付けられて紀伊水道に沈められましたが、これを決めた大阪市庁舎の中では、「大阪では死体にコンクリートの錘を付けて海にほかす（捨てる）のは昔からの習慣や。死んだクジラなんかコンクリート付けて大阪湾に沈めてしまえ！」なんていう冗談が交わされていたと思います。

さすがに私もこれはラジオで言えませんでしたが、「大阪湾に沈めたろか！」は、関西のヤクザの決めゼリフです。

松井一郎・前大阪市長は、このセリフが似合いそうです。

◆大麻事犯報道に対する違和感◆

今回、インドで使ったのと同じ隠しカメラのシステムを使って、カオサン通りの大麻専門ショッピングアーケードと、不良外人観光客に人気のスクンビット大通り沿いのマリファナ屋台を映像に収めてきました。

タイの大麻解禁には正直私も驚きました。というのは、すでにオランダあたりで実質的に大麻が解禁されていた1980年代、タイをはじめとする東南アジアで大麻は、他の麻薬同様に極めて厳しく取り締まられていたんです。

当時、インドやネパールまで行くと大麻は「ゆるゆる」でしたが、タイやシンガポールで大麻使用・所持がバレると長期間拘束されるのは常識で、私は当時タイで大麻を吸う日本人バックパッカーに「捕まると極めて危険だからやめておけ。どうしても吸いたければインドかオランダに行け」とアドバイスしていました。

そのタイで大麻解禁ですから、なんか「時代が変わった」って強く思います。

東南アジア、特にシンガポールの麻薬類の取り締まりは過酷で、過去に「運び屋」と認定された外国人に「死刑」執行されたケースもあります。

実は、普通の観光客が麻薬の運び屋に仕立て上げられる事例は山ほどあり、それゆえ、今でも飛行機に乗るときに、

「アナタのカバンは自分でパッキングしましたか？」

「パッキングした後でカバンから目を離したタイミングはありませんか」

などと聞かれるのはそのためです。

これは万一、カバンから麻薬等が発見されたときに、「俺が入れたんじゃない」と言い逃れることを許さないための質問なんです。

実際、昔は空港で「私は重量オーバーだから、荷物をアナタの名前でチェックインしてほしい」なんて頼まれることがよくありました。

親切心で受けたがゆえに死刑判決を受けるリスクがあるわけで、これは現代でも、相手が日本人でも、絶対に乗ってはいけない話です。海外で貰った土産物は搭乗前に中身を確認する必要があるのも常識です。

さてタイの大麻解禁はいわゆる全面解禁ではありません。大麻成分の中で、最も精

神に影響を与える成分は「THC＝テトラヒドロカンナビノール」というアルカロイドですが、この成分が0・2％以上のエキスや樹脂の扱いは一般人には禁止されています。また大麻煙草などを公衆の面前で吸うのも禁止ですが、個人による大麻草の栽培、大麻そのものの販売などは基本的に自由に行われています。

オランダのアムステルダムの大麻カフェみたいな場所では昔から、コーヒー豆のように産地ごとに値段の違う大麻がガラスケースに入れられて売られていましたが、現在のタイも同じ感じです。

大麻を扱う店や屋台には銘柄と値段を記した黒板が置かれ、グラム単位で乾燥大麻が売られています。煙草の葉と混ぜて紙で巻いた「ジョイント」と呼ばれる大麻煙草が1本100バーツから200バーツです。400円から800円強という感じでしょうか。

値段が高い上に、他の麻薬類のように劇的な効果がないせいか、現地の人がこぞって買っている印象はないですね。しばらく店の前で観察していましたが、客はすべて外国人観光客でした。

日本のネットニュースで「大麻解禁後、タイにおける大麻の乱用者が4倍になった」

という記事を見つけたんですが、そもそも合法のものを「乱用者」と規定するのは無理がありますし、全面禁止から解禁に舵を切って「4倍」って、「解禁以前に『乱用者』がどれだけいたんだ？」って話ですよね。

それに解禁になった今でも、大麻吸引は社会的にかなり問題視されているようで、私がソイカウボーイのバーでビールを飲んでいたら、大麻煙草をくわえて入ってきた客が外につまみ出されていました。

公共の場での大麻使用は禁止されていますし、今時バーに普通の煙草用の灰皿すらない時代に、大麻煙草をくゆらせながら街を歩くこと自体非常識なわけです。大麻煙草は、形状は煙草とほぼ同じですが、匂いで確実にわかります。

大麻は世界的に、「ソフトドラッグ」とされています。アヘンやヘロイン、LSD、コカイン、覚せい剤ほどの「キキメ」はなく、幻覚を見ることも、覚醒作用が得られることもありません。あるのは視覚、聴覚の鋭敏化と軽度の浮遊感覚だけと言われています。習慣性・依存性はあるものの中毒性はなく、長期連用してもそれほど大きな副作用はないとされています。

でも、このあたりはまだわからないことも多くて、1980年代にインド放浪から帰ってきた友人のY君は当時、「インドで毎日大麻を吸って一日中ぼうっとしている日本人をたくさん見たけど、連中絶対頭おかしくなってると思う。大麻に害がないなんて嘘だ」と言っていました。このあたり、私にはよくわかりません。

ただ日本で大麻事犯が、他の麻薬犯同様に扱われていることに少し違和感はあります。私の番組で、有名芸能人の大麻による逮捕を全く扱わないのはそのあたりが理由です。

あ、念のために言っておきますが、タイで500円の大麻煙草を買って、「土産に日本に持ち込もう」なんて絶対に考えてはいけません。

世界のほとんどの国では入国時の荷物検査を行わなくなっていますが、日本ではいまだに昔の途上国並みの、世界で最も厳しい荷物検査が行われていて、空港税関で逮捕されると社会人として「終わり」です。初犯なら執行猶予は付くでしょうけど、下手すれば大麻煙草一本で懲役刑ですからね。

途上国に戻りつつある日本

２０２２年11月、インドシナ半島の共産主義国家ラオスに、現地2泊のスケジュールで行ってきました。ラオスの首都ビエンチャンは川を挟んでタイと接しています。川幅が広くて簡単に泳いで渡れる距離じゃないですが、岸に並ぶレストランのベランダからタイが見えます。

コロナ騒動の最中の２０２１年12月、ラオスの首都ビエンチャンまで、中国本土から高速鉄道が開通しました。

中国が途上国の国債を買うなどの方法で多額の資金援助をして、借金が返せなくなると、その国の港湾などを長期接収するのは有名な話で、つい最近もアメリカのお膝元の中南米で同じことを始めてニュースになりました。

国境を接するラオスの場合はもっとあからさまで、街に並ぶ中国系企業の看板や走り回る中国製の車を見ると、中国がラオスを完全に衛星国家と見なしているのがわかります。

中国語の看板が目立つラオスの首都・ビエンチャンの中華街。2023年4月撮影（写真:時事）。

ただ一応、中国本土じゃありませんから、すぐに官憲に逮捕されるリスクは感じませんでした。そもそも中国に比べて街で見かける警察官の数が圧倒的に少ないです。中国の街を歩くといたるところに警察官の目が光っていて、街の人々が24時間、官憲の監視体制の下で暮らしているのを感じます。

私がラオスにいたのと同じタイミングで首都北京を含めて中国各地で「ゼロコロナ反対デモ」が行われて国際的なニュースになりましたが、「24時間警察管理下にある中国でこのデモは異例だ」と思う一方で、「当局は『自由な中国』を演出するために、わざと始めさせたんじゃないのか」とも思います。

統治に自信がなければ早期に徹底的に潰していたでしょうからね。それをやらなかったということは、中国当局は「こんなことではビクともしない」と、現在の統治体制に絶対の自信を持っているということです。

かつての胡錦濤（こきんとう）政権下における反日デモなどは明らかな官製デモでした。中国ではデモすら国家経営戦略の一手段だったりするんです。

今回のデモは、当初のゼロコロナ反対から国家体制反対にデモの質が変わり始めた局面で当局が抑止に動きました。「ここから先は許さない」ってことでしょう。

この間に、当然、不満分子の確定作業も行われたはずです。

◆安全性が高まる東南アジア◆

話をラオスに戻しましょう。ラオスに限らず東南アジアの多くの国の治安は極めて良好です。例外はフィリピンで、私は過去に何回か路上でひったくりに遭ったり、空港で荷物の中から貴重品を抜き取られたりしました。

そういえばかつてフィリピンで、空港のセキュリティチェックの最中にカバンから現金が消えた騒動がありました。このときは確か狂言かなんかで話が終わった記憶がありますが、少なくともフィリピンはそういうことが起きても不思議ではない治安状況です。

これに比べるとインドシナ半島の国々の治安は極めて良く、ラオスの首都ビエンチャンでは暗い道を一人で歩いていても、**怖いのは路上で寝そべる犬くらい**で、犯罪被害者になる危険性はほとんど感じません。

決して豊かな国ではありませんが、国民が飢えるほど貧しくないので、そんなにギスギスした雰囲気じゃないんです。つい最近嗜好品としての大麻を解禁した隣国のタイと違って、街で麻薬売りもほとんど見かけません。

タイの場合、昔は繁華街の路上に当時違法だった大麻の売人があふれていて、下手に手を出すと売人とグルになっている警官に逮捕されるなんてことがよくありました。

当時タイで大麻は重罪でしたから、大麻を買った外国人は裁判を避けて、その場で多額の現金を警察官に払って見逃してもらうことになります。大麻を回収した警察官は売人に大麻を戻します。**同じ大麻が、売人、警察官、外国人の間をぐるぐる回って、**

地元に経済的潤いを与えていました。タイの大麻解禁の背景にはこんな事情もあります。

反社会勢力と腐敗警官の息の根を止めるには確かに大麻解禁は有効な手段です。大麻解禁で一番打撃を受けたのは売人と腐敗警官です。

ラオスにはそんなアブナイ雰囲気は微塵(みじん)もありません。若い女性が暗い夜道を一人歩きすることまでは勧めませんが、ラオスの首都ビエンチャンは、警察官の姿をほとんど見ないにもかかわらず、若い女性の夜道の一人歩きができそうなくらい治安がいいです。

中国ほど殺伐とした感じもなく、タイほど商業化しておらず、人々の生活はスローでのんびりしていて、ラオスは今、世界中からヒッピーを集める聖地となっています。雰囲気は「40年前のタイ」って感じですね。

円の力が落ちてしまったために昔のタイで感じたほどの物価の安さはありませんが、コロナ後極端にラオスの通貨の価値が下落したこともあって、今でも日本円に換算してラーメン1杯200円、ビール大瓶1本150円くらいです。

今回私は、タイのバンコク経由、関空から往復10万円くらいのチケットを使いましたが、現地で長期滞在するつもりなら、かなり経済的な旅行ができるだろうと思います。

私が泊まったホテルは、1泊ダブル朝食付きで3500円ほどです。東南アジアのホテルは一人で泊まっても二人で泊まっても大抵同じ値段です。

もちろん、日本のシティホテルのようなサービスを期待してはいけません。「シャワーでお湯が使えればラッキー」くらいに思っていたほうがいいです。多くのホテルで、シャワーはシャワーヘッドのすぐ脇に設置されている600ワット程度の電気湯沸かし器で水を温める仕組みになっていますから、お湯の出は悪いです。

そもそも東南アジアの水は硬水で、石鹸が置いてあってもほとんど泡が立ちません。日本から簡単に泡が作れる浴室用タオル等を持参することをお勧めします。ナイロンのタオルなら、頑張ればなんとか泡が作れます。

◆簡単だけどいい加減なシステム◆

それにしても改めて、「日本のコロナ規制は異常だ」と感じました。

２０２２年8月にハワイに行ったときには「My SOS」というスマホアプリを強制的に使わされ、スマホを持っていない入国者に日本政府はスマホのレンタルまでさせていましたが、２０２２年11月から、このアプリとは別の「Visit Japan Web」というホームページに渡航情報やワクチン接種歴の入力を求められるようになりました。

私は関西国際空港から出国する際、チェックインの列に並んでいるときにこのホームページにアクセスして、パスポート番号、パスポート画像とワクチン接種証明書のアップロード、渡航先情報、旅行日程などを入力しました。

途中何かのバグで、「質問書への回答」のページにアクセスできなくなることがあったんですが、小1時間かけて入力が終わりました。それぞれのプロセスが終わるたびにメールで通知が来て、メールに添付されているアドレスを見ると、「審査中」「審査完了」等のステータスがスマホに表示されます。私の場合、搭乗前に「審査中」画面になり、その日の夕方バンコクからビエンチャンへ乗り継ぐ前に調べたら「審査完了」になって、画面が青色に変わって審査完了のバーコードが表示されました。

帰国時には関空で、午前7時台だというのに１００人規模の係官がスタンバイする人垣の中を、**水戸黄門の印籠のようにスマホの青い画面を周囲に見せながら進む**ことになりました。1回だけ係官にスマホの画面をスライドして内容を確認されましたが、手続き的にはそれで終わりです。内容確認の際、パスポートとの照合も行われませんでしたから、**ハッキリ言って他人の情報でも通過はできたはずで、正直「簡単だけど随分いい加減だなあ」と感じました。**

しかし、「Visit Japan Web」への登録を済ませていないと、100人規模の係官が待つ大行列に並ばされます。そちらに回るとどのくらい時間がかかるのかはわかりません。月曜日の早朝に関西国際空港に帰ってきて、その日の午前中に東京のニッポン放送に向かわなくちゃいけなかったので、一刻も早く空港を出たかったのです。時間的余裕があるときに行列に並んでみようと考えています。それにしても、日本に来る外国人は皆この洗礼を受けるわけで、正直、「何の意味があるのか？」と思います。

例えば私の場合、出国前の入力でスマホに青画面が表示されるわけで、入国時にこれを調べる意味がわかりません。強いて理由を挙げるなら、渡航先が、日本政府がPCR検査などを求める一部の国々じゃないってことを証明するためでしたが、そのためだけに、この手間と人員は過剰です。

昔、途上国はどこでも入国が過剰に厳しかった時代がありましたが、日本は現在世界で最も入国管理が厳しい国の一つになっています。**ダメな権威主義、官僚国家の典型のようです。**

◆日本がインド化していないか◆

「人のふり見て我がふりなおせ」とはよくできた警句だと、２０２３年2月にインドに行ったときもつくづく感じました。今日本は、賃金を含めて急速に「インド化」しているんじゃないかと怖くなります。

経済が急浮上し、２０２３年7月には中国を抜いて世界一の人口になったインドと日本を比べて「インド化」なんて言うと、インドに失礼じゃないかとも思いますが、実際インドのハイテク都市であるハイデラバードを訪れて、「インドはこのままじゃダメだ」と思わされることが何度もあり、そのたびに「最近の日本と似ている」って感じたんです。

まず、入国の煩雑さがそっくりです。

日本人がインドに行くには今でもビザが必要です。到着するのが大きな国際空港の場合、空港で３０００円前後払えばその場でビザが取れますが、これには恐ろしく時間がかかります。私がコロナ禍直前にインドのコルカタから入国したときには、この手続きに2時間かかりました。国境を越えてターミナルビルを出たときには午前2時を回っていて、「だからインドはダメなんだよ」と毒づきながらタクシーを探す羽目に陥りました。

国境を越える際のこういう体験は、決定的にその国の印象を悪くします。日本の現状は実は「インド並」で、日本に来る外国人の日本に対する印象が心配です。

これがなぜ「インド並」なのかと言うと、日本人がインドを訪れるにはビザを取得する必要があるのと同時に、「Visit Japan Web」そっくりなサイトにアクセスして、入国の72時間前までに受けたＰＣＲ検査のコロナ陰性証明書をアップロードしなくちゃいけなかったからです。

そんなインドですら、入国に際しての税関検査は実質行われていません。怪しげな入国者に対して荷物を検査する権利をインド税関は留保していますが、多くの旅行者は入国審査が終わると荷物検査なしでフリーパスで国境を越えられます。

ところが日本では入国時の税関手続きが以前より強化されています。

紙に書き込む税関申告書は現在も有効ですが、2年後には日本人を含めた全員が「電子申告」しなくてはいけなくなります。税関当局は、「荷物が回転台から出てくる待ち時間を使って機械に入力してください」と案内していますが、私のように、入国時の時間を短縮するために荷物をすべて機内持ち込みで運ぶ人間からすると、日本入国時に確実にひと手間増えます。

現在、電子申請を促すために、紙を使う検査所の数を減らしているために、紙の税関申告書を使って入国しようとすると大行列に並ぶ必要があります。世界中で税関検査は、怪しい人だけを検査する「サンプル抽出方式」に変えられていて、普通の旅行者はフリーパスで国境を越えられる時代に、日本だけが税関検査に「電子申告」なる面倒くさい手続きが新たに導入されてしまったんです。

この申告で、水際で禁制品の日本持ち込みが防げるとはとても思えず、単に役所の予算と仕事と、入国者の余計な手間を増やすだけでしょう。

これが日本の「デジタル化」の実態です。

デジタル化は、何かを便利にするためにあるべきなのに、日本では日本人を含めた入国者に余計な手間を増やすために使われているのです。当然そのために、予算も人員も増やさなくちゃいけませんから、余計な手間のためにどんどん税金が使われるわけです。

海外に行くたびに、「日本はどんどん途上国になっていく」と実感します。

頭の悪い役人が自分たちの権益と予算の肥大化のために行動し、その結果として、さまざまな分野で発展が阻害される、これが今日本で起きている「低成長」の最大原因だと、国境を越えるたびに思います。

なんとかしないとマズイですが、日本で暮らしている多くの人は、その現実に気がつく機会すら失われてしまっているんです。

インドのハイデラバードの賃金水準は、ドル換算で日本のすぐ後ろに迫っています。40年前には桁が二つくらい違ったのにね。

特にこの10年ほどの日本の衰退はひどいと強く感じます。

皆さん、とにかくまず、現状に気が付きましょうよ。

万博に波及する規制

「2025年大阪・関西万博」の会場を見てきました。

2023年1月1日の午後に大阪のABCラジオで放送される1時間の万博特番のパーソナリティを依頼され、会場を下見した上で吉村洋文知事を交えて番組収録を終えました。

番組は会場で展示が予定されている「生きた心臓」を作るプロジェクトリーダーや空飛ぶ車の開発者などの話を軸に進行しましたが、担当者の話を聞いていて、改めて現在の日本が抱えている問題、日本の成長を妨げている問題について考えさせられる時間になりました。

この番組、ありがちな「万博協会の紐付き」の番組じゃないので、自由に問題を喋れるんですね。**今回この仕事を受けた理由の一つには「万博協会のスポンサーが付いている万博よいしょ番組じゃない」ということがありました。**

万博協会から金を貰って万博をよいしょするだけの番組じゃあ、リスナーに対して

建設が進む大阪市此花区夢洲（ゆめしま）の2025年大阪・関西万博の会場。2023年7月13日撮影（写真:毎日新聞社／アフロ）。

責任を果たせないですからね。

番組の中でも言いましたが、私は根っからの「万博好き」です。１９７０年の万博と我が一族はほんの少しだけ縁があって、私の父の異母弟、つまり私の叔父は万博のパビリオンで司会者兼案内係のような仕事をしていました。

パビリオンの中には女性だけじゃなく男性のコンパニオンがいる館もあったんです。

この叔父、名字が「辛坊」で、万博後大阪でイベント等へ司会者を派遣する仕事をしていたので、似たような仕事をしている私は時々叔父と間違われることがありました。

現在は高齢になったこともあって活動を停止しているようですが、この叔父が私の太平洋横断中に、4代前の辛坊家の先祖が一時期住んでいた小笠原の住所を調べて「除籍謄本」をサンディエゴまで送ってくれたので、帰路に小笠原に立ち寄る計画を立てたのです。この話は拙著『風のことは風に問え』（扶桑社）の中に出てきます。

そんな縁もあったので、私は当時住んでいた埼玉県から、大阪の親戚を頼って大阪に行き、1週間ほど会場に通い詰めました。

楽しかったですね。今回の番組収録で「ディズニーランドとUSJを足して5倍したような感じ」と言いましたが、この表現でも足りないくらいです。

現在のIMAXシアターの原型のような施設が複数ありましたし、煙に立体映像を映したり、マジシャンの引田天功さんが車を空中に浮かすショーを生で見せてくれたり、月の石やソユーズの宇宙船の実物があったり、水着美女が透明な「人間洗濯機」で連日洗われていたりと、高度成長下の日本人が夢見る未来がそこに確かにありました。

しかしここに書いたような人気のパビリオンは連日黒山の人だかりで、月の石を見るためだけに3時間行列するなんて当たり前でした。

当時私は中学生で元気があふれていたとは言え、会場を走り回っていると疲れます。疲れるとエアコンが効いていてすぐに入れるパビリオンを探します。当時はエアコン自体が珍しかったです。

こうして見つけたのがお金のないアフリカなどの新興国が共同で入っているパビリオンで、中では民族衣装を着た現地の人が物産の紹介などをしていました。

私はここで槍を手にしたマサイ族の青年と写真を撮ってもらいました。**当時は街で外国人を見つけると一緒に写真を撮ってもらうのが珍しくない時代でした。**私は米軍基地のある街で育ちましたから、外国人自体はそんなに珍しくなかったんですが、槍を持ったマサイ族の青年のインパクトは大きかったです。

私はこの経験をして、大学時代にバックパッカーになり、その後「世界に行ける仕事をしたい」と商社を目指したものの、縁あって大阪の放送局に入社することになったんです。

私、住友商事からも内々定を貰っていましたが、あのとき商社に入っていたら、その後の人生はどうだっただろうかと時々考えます。

結論はいつも「今の人生のほうが楽しかっただろうな」ですが、実際どうだったかなんて誰にもわかりません。単なる商社マンなら週刊誌に悪口書かれることもなかったわけで、もしかすると今頃、金髪美女とタヒチあたりで楽しく暮らしていたかもしれませんからね。

いずれにせよ、１９７０年の大阪万博が私の人生に及ぼした影響は極めて大きかったのです。70年万博の記念として残されたものの長らく放置されていて内部が荒れ果てていた太陽の塔の修復事業に寄付したのはそういう経緯です。

皆さんが太陽の塔に行かれる機会があったら、寄付者のプレートがどこかにあるはずですから私の名前を確認してみてください。ちなみに万博跡地は、基本的にほぼ全部公園として残されています。

会場跡地を東西に走る大阪中央環状線の南側には長年「エキスポランド」という遊園地があり、コースター死亡事故で遊園地が閉園になった後、現在はミニ動物園などが併設された大型商業施設になっています。しかし道路の北側の敷地はそっくりそのまま公園として残されていて、その真ん中に太陽の塔がそびえています。

実はエキスポランドの南側には外資系の大型テーマパークが入る計画もあったんですが、競合するＵＳＪの強力な政治工作などで潰れてしまいました。代わりにできた商業施設は素晴らしい集客力を誇っているようですから「結果オーライ」です。

私はこの場所には、ＵＳＪとは別のテーマパークに来てほしかったですが。

◆進まぬ「空飛ぶ車」の開発◆

さて万博特番をやっていて、改めて思い知らされるのが日本の規制の多さです。

日本では何か新しいことをやろうとすると、昔の電話帳のような厚みのある書類を作って役所に提出し、かなりの時間をかけないと話は先に進みません。

例えば今回の万博では「空飛ぶ車」が海上と近隣のターミナルを結ぶ「空の足」として使われる計画ですが、話を聞くと単なる「電動ヘリコプター」の域を出ないようです。

残念ながらこの分野、日本はすっかり遅れてしまっています。一つには日本最大の自動車メーカーが電動車に後ろ向きで、電池の開発などに力を入れてこなかったために、万博で使用される「空飛ぶ車」に搭載される電池が非力で、飛行時間が世界で開発されている製品よりかなり短いようなんです。

その上、開発者自身が「電動自動車」たることを諦めてしまったのか、製品の形も「電動ヘリコプター」そのものです。世界のメーカーの中には、「一見すると自動車」みたいな製品を発表しているところもありますから、ちょっと残念です。

なんでこんなことになったのかと言うと、日本の役所が、「空飛ぶ車」を「航空機」と定義してしまい、操縦するためにパイロットの資格を要求し、型式証明等に航空機並の検査を求めているからです。

もちろん運行に際しては、航空機と同様の法律の網がかけられます。だから必然的に日本の「空飛ぶ車」は、「電動ヘリコプター」にならざるを得ないんですね。

このままでは日本で「空飛ぶ車」は絶対に普及しません。役人は束になって、自分の監督権限を行使しようと、航空法のすべての条文を「空飛ぶ車」に適用すべく必死に仕事をしますからね。

この点、権威主義国、独裁主義国では話が早いです。

王様が「今後我が国の車は空を飛んでよい」と言えば、それで終わりですからね。

途上国の多くは、そんな政治体制の国が多い上に、道路、トンネル、橋などが整備されていませんから、空飛ぶ車の優位性・必要性は道路網が整備されている先進国よ

2023年3月14日、大阪城公園内の野球場で実施された日本初の有人屋外飛行。機体はアメリカのリフト・エアクラフト社製(写真:時事)。

り明らかに上です。

今のままの規制が続くと、アフリカや中東を「空飛ぶ車」が自在に行き交う時代になっても、日本だけ車が地べたを走っていることになるかもしれません。

日本がなぜ成長しない国になってしまったのか、「空飛ぶ車」の開発状況を知ると、その構造を思い知らされてしまうのです。

万博に寄せる希望

さて、２０２５年大阪・関西万博の最大の目玉は「生きた心臓」になりそうです。

私、万博開催が大阪に決まった２０１８年以降、全国で講演する際に「２０２５年には、ｉＰＳ細胞から作った生きた人間の心臓が会場に展示されます。それが70年万博の『月の石』のように、万博の象徴的存在になるはずです。そしてその展示は、人間が不老不死という人類永久の望みに一歩も二歩も近づいたと世界に見せることになるのです」と言い続けてきました。

私は何度かこの話を吉村洋文大阪府知事や松井一郎前・大阪市長に話したことがあり、たぶん同じような発想は他の人からも出たのだと思いますが、どうやらそれが実現しそうです。

１年半ほど前に、空港のラウンジでばったり出くわした大阪大学の澤芳樹教授に、「辛坊さんが言っていた生きた心臓のメドが立ちました」と声をかけられてビックリしたことがあったんですが、**思い返すと、私が言いっぱなしで忘れていたことが静か**

2020年1月、人工多能性幹細胞（iPS細胞）から作った心臓の細胞を重症心筋症患者に移植、記者会見をする大阪大学・澤芳樹教授（写真：時事）。

に研究されていたんですね。

澤教授は、iPS細胞から心臓の筋肉のシートを作ったことで有名な先生です。

ただ、私は本音では不老不死なんて望んでいません。イギリス人のスイフトという人が今から300年前に『ガリバー旅行記』という本を書いたのは皆さんもよくご存じでしょう。

この本の中に出て来る空中に浮かぶ街の名前が「ラピュタ」です。日本を代表するアニメ監督の宮崎駿監督がここからアニメの名作を発想したのは明らかです。

宮崎監督が映画に登場する街の名前

を「ラピュタ」にしたのは、出典を隠さない意図だったのだろうと思います。

この本の中で「一定割合で不死の人が生まれる国」というのが登場します。巨人国や小人国の話は絵本に出てきますが、「不死の国」は絵本にはまず登場しません。

なにせこの話、かなりエグイんです。

その国の一部の人は「不死」の存在として生まれてくるんですが、普通に歳をとります。ところがどんなに歳をとっても死なないのです。その国には、一目でそれとわかる何百歳の人が街に何人もいるのですが、皆、しなびたゴボウのようになって生きています。

描写がかなりエグイです。これじゃあ絵本にはなりません。子どもが絵本を見て泣き出してしまいます。この本を書いたスイフトには恐らく、「死こそ神様の祝福だ」的な思いがあったのだと思います。

単なる不死は人間にとって苦行でしかありません。

ちなみに著者のスイフトは、晩年発狂して死んだと伝えられています。あんまり生死について深く考えるのは精神的に良くないのかもしれません。

◆開発が進む心筋シート◆

さて心臓の展示ですが、残念ながらすぐに人間に移植できるレベルのものは完成しそうにありません。心臓の形に作った土台にiPS技術で作った心筋シートを貼り付けて拍動させ、生きた心臓のように見せる展示になりそうです。

それでもその心臓は心筋細胞で拍動しているわけですから、「生きた心臓」というのは嘘じゃありません。

2025年の万博には間に合いそうもないですが、近い将来、人間に移植できるレベルの心臓の制作が3Dプリンターなどの技術の応用で可能になるだろうと思います。

今回の展示を手掛ける大阪大学の澤教授が開発して、展示の「肝」になる心臓表面を形成する細胞は、すでに臨床応用されて人の命を救っているのです。

日本の心臓移植が、法律の厚い壁に阻まれてほとんど進んでいないのは皆さんもよく知っているはずです。今でも拡張型心筋症等、心臓の筋肉が徐々に働かなくなる難病で心臓移植しか治療の選択肢がなくなった子どもさんが、5億円ほどの寄付金を募ってアメリカに出かけていく話はよく報じられます。

実は世界でも移植用臓器は不足していますから、国外からの移植希望者を受けいれない国が多いのですが、このあたり「金次第でどうにでもなる」のが世界の現実です。でも、5億集められなければ終わりです。とても切ないですよね。

ところが澤教授が開発した「心筋シート」を衰えた心臓に貼りつけると、やがて血管などがシート内に構築されて元の心臓と一体になり、心臓の機能が回復するそうで、心筋梗塞などで心臓の筋肉の一部が死んでしまったようなケースにも、この治療は有効とのことです。

今まで移植以外の選択肢がなかった重い心臓病の患者さんには朗報ですよね。現在この治療法は「治験」の段階まで進んでいて、まもなく研究結果を厚生労働省に提出して通常医療として健康保険の対象になるはずです。

◆日本の医療を守るために◆

私が言いたいのは、日本の健康保険制度の優秀さです。

アメリカで心臓移植を受けようとすると5億円ほどかかります。盲腸の手術の場合、日本だと1週間くらい入院するのが当たり前ですが、アメリカでは大抵日帰りです。民間の健康保険に入っていれば保険で医療費がカバーされますが、当該手術に対応可能な民間の保険に入っていないと、下手をするとたかが盲腸の日帰り手術で100万円単位の医療費を請求されます。そもそも健康保険を持っていないと診断すらしてもらえません。多くの日本人は「そりゃひどい」って思うでしょうが、それが世界の現実です。

同じ英語圏でもイギリスでは全く事情が違います。イギリスの医療費は原則タダです。**でもねえ、「タダがいかに恐ろしいか」って話なんです。**

イギリスでは風邪くらいでは医者は診てくれません。制度的に最初に行く医院が決まっていて、日本のように好きな病院で診てもらうなんてことはできません。強制的な「かかりつけ医」制度です。

日本でも現在「かかりつけ医」制度導入に政府が動き始めていますが、イギリスの現状は結構悲惨です。イギリスではまず決められた「かかりつけ医」で診てもらい、もっと上位の病院での治療が必要と医者が判断したときだけ、大病院で診てもらえます。

医療費はタダですが、日本では健康保険の対象になっている高価な抗がん剤などはタダの医療では提供されません。イギリスで「タダの公的医療に頼っていたのでは殺されてしまう」と考える人は、高額な民間病院を頼るのですが、そこで待っているのはアメリカと同じ現状です。金さえ払えば助かるケースでも、払えなければ死ぬしかありません。日本でコロナで亡くなった人の大半は80歳以上ですが、スウェーデンではこの年代の患者はそもそも積極治療が行われないのです。

こうして世界を見ると、日本の健康保険制度がいかに優れているかわかるでしょう。大阪大学の澤教授の心筋シート治療もごく近い将来、この健康保険制度の対象になって、誰でもが普通に病院でこの最先端の治療を受けられるようになるはずです。

もちろん、日本の制度にも欠陥はあります。

例えば新型コロナのＰＣＲ検査などが象徴的ですが、医療が利権化して、莫大な公金が私腹を肥やすために使われ、利権を手にした人が既得権益者として圧力を行使するために、適切に政府の方針変更ができないことなどは、日本の制度の欠陥と言えるでしょう。

とはいえ、日本の医療を取り巻く環境が、世界の国々の中で突出して良好であるのは事実です。

「良いこと」ってあまり誰も取り上げないために「空気」のように感じられて放置しがちですが、知らないうちに「空気がなくなる」ことがないように、「良いこと」は「良いこと」と認識して、それを維持する努力が必要です。

大阪・関西万博で展示される「生きた心臓」が、日本と世界の医療の現実に気づく場になることを私は大いに期待しています。

第4章

懲りないメディア

ジャニーズ性加害とマスコミの変節

業界関係者でない複数の知人から、「なんでイギリスのBBCがドキュメンタリーで伝えて、日本でも被害者の実名記者会見まで開かれたのに、ジャニーズの先代トップの男子児童・生徒に対する性的虐待問題を日本のマスコミは扱わないのだ？」という質問を受けました。

もちろん、「テレビ局などが番組作りで世話になっているジャニーズ事務所に忖度して扱わない」という事実はあるでしょう。

でもね、問題はそれだけじゃないんです。

私は、このあたりの事情は一般の人の間でも共有されていると思っていたんですが、**先日飲食の席でこの問題を説明したら、「そういうことなんですね！」と驚かれて、逆に私が驚きました。**

もしかすると、私が「世間の常識」と考えていることが、必ずしも「世間の常識」ではない可能性に気がつきましたので、この問題を解説しておきます。

まず、テレビ業界人として、「ジャニーズの先代社長が、若年男性に対して性的指向を持つ人物だったのだろう」というのは常識です。**この問題について発言する業界人の中には、「今回の報道で初めて知った」的なことを口にする人がいましたが、私の感覚ではそんな人は「単なる嘘つき」です。**

だって、銀座にはもう随分前から、「売れずにジャニーズを退社した元タレントさんが集団で働くおかまバー」があって、そこでは、先代トップの性的虐待の様子が、夜な夜な赤裸々に語られています。業界にいて、この話を聞いたことがない人はまずいないでしょう。

ですから、昔、週刊誌が、当該人物が存命中にこの問題を書いたときも、今回イギリスのメディアが大々的に取り上げた際にも、正直な業界人の感想は「そんなこと知ってるよ」なんですね。

こう書くと、「知ってて、なんで告発しなかったんだ?」となりますが、これが今回皆さんに説明する話です。

簡単に結論を言うと、現在活躍中の有名タレントの中に、元事務所トップの寵愛を受けてデビューし、その結果売れている人が多数いる可能性の問題です。この皆さんは、現在の「MeToo」運動的視点に立てば、間違いなく「性犯罪の被害者」でしょう。

しかし、性犯罪というのは元々「親告罪」と言って、被害者が被害を認識して告訴しない限り罪に問えない犯罪でした。例えばAさんがBさんに対して「性的犯罪に及んでいる」とCさんが思っても、この問題を告訴できるのはBさんだけで、Cさんには告発する権利は、近年法律が改正されるまでなかったのです。

これが殺人や窃盗なら違います。被害者が告訴しなくても、第三者が「犯罪があった」と告発したら警察は捜査してAを逮捕することができます。これに対して近年法律が改正されるまで長らく、性犯罪は詐欺罪などと同様に、強盗や殺人と違って「親告罪」と言って、被害者の訴えが必須な犯罪だったんです。

その理由は、詐欺などが典型ですが、例えば「恋愛成就に効くペンダント」を高価で買ったような場合、買った人が被害を認識しない限り犯罪は成立しないからです。買った人が「このペンダントにはこの値段がふさわしい」と納得している限り詐欺は成立しません。

性犯罪の場合は、この事情に加えて、被害者に被害意識がある場合でも、性犯罪の被害者であることが表面化するのを恐れる被害者の気持ちを斟酌して、「被害者の訴

児童虐待防止法の改正に賛同する署名を各党に提出し、報道陣の取材に応じるジャニーズ事務所元所属の（奥右から）二本樹顕理さん、橋田康さん、カウアン・オカモトさん（写真：時事）。

えがない限り犯罪として捜査しない」という原則が長年維持されてきたのです。

ただ、この後者の原則は、近年の世界的な性犯罪に対する認識の変化を受けて、「性被害は恥ではないので、積極的に被害を告発すべき」となって、変わりつつあります。日本で性犯罪が近年親告罪でなくなったのはこの世界的な流れを受けてのことです。

ジャニーズ問題を告発した昔の週刊誌報道は単なる「商売」が動機でしょうが、今回のＢＢＣの報道の背景には、「性犯罪も他の犯罪同様、直接の被害者の告発がなくても積極的に問題視すべき」という世界的な意識の変化があるのです。

◆望まぬ被害者を生み出さない◆

話を元に戻しましょう。

「なぜ、日本のテレビ局などはジャニーズの先代トップの性犯罪を積極的に報じないか？」の答えですが、「現在活躍中の有名タレントの中に、ジャニーズの先代トップの性的犯罪の被害者だった可能性のある人物が何人もいるが、その本人が『自分が被害者である』と名乗りを上げていないのに、『あの人は被害者かも』という話を広げるのは当人に迷惑ではないか？」という気持ちがあるからです。

性犯罪の被害者が自分が被害に遭ったことを公表していないのに、「あの人は性犯罪の被害者かもしれない」と他者が報じるのは避けるべきだと考えるわけですね。

さらに、ここからはかなり日本的な発想ですが、日本では昔から「枕営業」という汚い言葉があります。一般にこの言葉は、女性が、権力のある男性との性的関係を利用して経済的、あるいは社会的地位向上を目指す行為を意味します。

日本の社会の中には「枕営業で成功を掴んだ人物が、成功した後で成功のテコに使った人物を告発するのはフェアじゃない」という意識が根強くあります。ジャニーズ事務所で出世したタレントさんの中には、ジャニーズの先代トップとの関係を使って人気タレントになった人もいるはずで、そういう人にとって当該ジャニーズトップは日本流に言えば、「枕営業で世話になった恩人」というわけで、当人にも「枕営業で出世させてもらったのに、その世話になった人物を成功後に告発するのはフェアでない」という思いもあるはずです。

中には本気で、「虐待者」に対して「恩」だけでなく「愛」を感じている人もいるでしょう。このあたりの複雑な感情は、件の銀座の「おかまバー」に行って話を聞くとよくわかります。傍から見たら「性的虐待」そのものの関係でも、本人たちにとっては「恋愛」だったりしますからね。

テレビ局などがこの問題を積極的に報じないのは、ジャニーズ事務所への配慮もあるでしょうが、**それ以上に、「現在活躍中の有名タレントさんたちと先代トップの性犯罪を結び付けるような報道をしたくない」という素朴な感情があるのです。**

現在活躍中のタレントさんにはたくさんのファンが付いていますが、このタレントさん本人が望んでいないのに、そのタレントさんが性犯罪の被害者であったことを連想させる報道をすることは、ファンの気持ちに沿わず、結果的にテレビ番組の視聴率にも影響する可能性があります。

そうなった場合、「その報道で、いったい誰が得をするの？」という話です。

問題のトップが存命中で、現在も性被害が継続中の場合には、報道する利益が他の諸問題を上回る可能性がありますが、元々かなり「故人の個人的性犯罪」の色合いの強い問題で、先年世界的な大問題になったカトリック教会における神父の男児に対する組織的性的虐待とも色合いが違います。

今回のイギリスＢＢＣ報道について、なぜ多くの日本のメディアが座視を決め込むのかという話はここに書いた通りですが、しかしながら一般論として、テレビを中心とする芸能界が特定の芸能事務所に過剰に忖度するのは事実です。

中には特定の暴力団との関係を意識させる事務所も現に存在します。これについては、事務所に所属していない私しか書けないネタがたくさんありますが、この話は別の機会に。

私の知る限りでも、現在活躍するテレビ司会者の中には大手芸能事務所の「威光」を意識して、あえてそこに所属している人が複数います。それらの事務所にテレビ局の幹部スタッフなどが過剰に気を使う文化がこの業界にあるのは事実です。

だから一般の市民の間に、今回の問題で、「既存マスコミのジャニーズ事務所への過剰な忖度」を指摘する気持ちが広がることはある意味自然と言えます。

でもね、問題はそんなに単純じゃないってことなんです。

少なくとも私が、この問題について自分の担当番組で言及しないのは、ここに書いたことが理由です。

◆メディアにお墨付きを与えた経営者◆

と、なぜ私が故ジャニー喜多川の男児性愛問題をラジオで論じないか、私のメールマガジンで説明した直後に、ジャニーズ事務所の現社長である故ジャニー喜多川の姪が動画で見解を発表し、問題が一気に表のメディアで取り上げられて、ネット上の報道等が加速しました。

たぶん誰かに「BBCの放送以降ネットで大騒ぎになっています。このまま放置するのはマズイですよ。見解を発表すべきです」なんて、そそのかされたんだと思います。

ホント馬鹿です。この社長の見解発表で、表のメディア的には「事務所のお墨付きを得て報道解禁」になってしまいました。表のメディアってそういうものです。

もう一つの解禁パターンは、問題が事件化して公権力が介入するケースですが、今回の問題は故ジャニー喜多川の個人犯罪で、言わば「被疑者死亡」案件ですから、事務所が共犯として立証されない限り事件化することはまずありません。

私は、事務所も大手マスコミも倫理的にジャニー喜多川の共犯だと思っていますが、刑事事件として事務所関係者や大手マスコミを立件できるかどうかは別問題です。

つまり今回の問題は、いくら海外メディアや週刊誌やネットが騒ごうが、刑事事件化するか、あるいは事務所が認めるかしない限り、表のメディアが取り上げる可能性はなかった案件なのです。

ところが事務所の社長が見解を表明したことで局面が一気に変わりました。

表のメディアにとって、それが報道解禁のゴーサインであると同時に、ネット上だけでない世論全般の「事務所が事実関係の一部を認めているのになぜ報道しない」という強烈な圧力にメディアがさらされるきっかけになってしまったわけです。そんなこともわからないなんて本当にアホです。

◆表向きの正義を振りかざす下世話な感情◆

私は最近のネット上の報道を見ていて、ジャニーズタレントそのものや、ジャニーズタレントで長年儲けてきたマスコミに対する一部男性層の怨念のようなものを感じるのです。

この問題で騒ぐことで、現在人気のジャニーズタレントの「性犯罪被害」を浮上させて、その結果、当該ジャニーズタレントの人気が下落したり、放送局が「利益の素」を失ったりすることを期待する気持ちを、この問題で騒ぐ一部ネットメディアやネット世論の裏に感じるのです。

彼らの主張が「性犯罪の被害は恥ではないので積極的に告発すべき」という現代の正論に補強される形で、**本当は極めて下世話な感情による主張なのに、それがまるで正義の主張のような扱いになっているのが私には極めて不快です。**

私はプライバシー権の根本は、「個人の『放っておいてほしい』という感情を守ること」にあると考えます。現在ネット上などで正論のように流布されているのは、「明らかなプライバシー権の侵害」だと思うのです。

もし女性アイドルを多数抱えるタレント事務所で、「故人の経営者によるタレントの性被害」が明らかになって、その事務所に所属する女性タレント全員が故人の性被害に遭っていた可能性が浮上したとします。

現役で活躍するその事務所の女性タレントが自ら過去の性被害を告発することが是であることは当然です。**しかしその問題を「放っておいてほしい」と望む現役タレントに「自分が性被害者だと認めろ」と責めるのは間違っていると思います。**

この問題に対する欧米のMeToo運動には、「それも是とすべき」という傲慢さを私は感じるのです。

欧米では性犯罪の被害者について、社会的な関心の高い事件（例えば犯人の自宅に10年間監禁など）においては当事者の承諾なしに性被害者を実名で報道することを可とする慣習がありますが、日本はそうではありません。

ピューリッツアー賞を出すことで知られるコロンビア大学のジャーナリズムスクールでは「性犯罪の被害者を実名報道する意義」について論理的に教えられますが、日本でこれに同意する人は稀でしょう。

この問題を扱うBBCの報道には「コロンビア大学ジャーナリズムスクール的独善」を感じますが、この問題を扱う日本のメディアには「下世話な儲けのネタ」という商業主義しか感じません。

今後のジャニー喜多川問題の行方ですが、誰でも知っている有名タレントさんの中に性被害を告発する人物が出ない限り収束していくはずです。逆にこれらの「燃料」が投下された場合、メディアは「新たなお墨付き」を得て一斉に報道を再開します。

私は、事務所社長が動画を配信した後にコメントを出した人物や、そのタイミングで報道を開始したメディアには不快感しか持っていません。

彼ら、彼女らは、自分の安全が確保されたのを見てから他者の攻撃を始める卑怯者たちです。

一方、「儲けのネタ」という観点でジャニー喜多川という人物を見ると、「特に音楽的才能等があるわけでない年少男性」に商業的価値を見つけて、表のメディアに莫大な利益をもたらした業界内の功績者であるのは事実でしょう。同時に、それが故人の性的趣味を満たす道具になっていたわけです。

ジャニー喜多川問題はおぞましいですが、被害者に性被害の告白を強要するが如き今のネット騒動に私は同意したくありません。

異次元の少子化対策

優生思想は忌むべき思想です。

だから、これから述べることが「優生思想に繋がる」と指摘されるのは絶対的に拒否しますが、中途半端な説明をするとその種の指弾を受ける可能性がありますから、放送などでは言わないように心がけてきました。でもこの本の読者なら曲解する人はいないと信じて書きます。

優生思想とは「優れた遺伝子」を選別して子孫に残す、裏を返すと、「優れていない遺伝子」を持つ者が子どもを持つことを制限、あるいは禁止するという考え方で、歴史上ナチスドイツの政策が有名ですが、実は社会保障費の削減目的で、スウェーデンなどの北欧では第二次大戦後もかなり長い間この政策が徹底されていました。

日本でも30年くらい前に一度大問題になったことを、数年前、毎日新聞が再び発掘して、障害者施設における不妊手術などが社会的にクローズアップされました。この施策の誤りは当然として、今回のテーマは国会で議論されている「異次元の少子化対策」についてです。

まず、2009年に政権を取った民主党の少子化対策は、「愚か者」と指弾されても仕方のない政策でした。

当時の民主党政権が掲げた、「子ども1人につき、中学校を卒業するまで、毎月2万6000円配布する（政権奪取後は財源がないとして半額に引き下げられて実施）」という施策を2010年、野党自民党の丸川珠代議員らが批判した言葉が「愚か者」でしたが、自民党は今、少子化対策として所得制限なしの児童手当などを「異次元の少子化対策」として考えていて、民主党出身の立憲民主の長妻昭議員などから「民主党政権の施策を『愚か者』と呼んだ自民党が同じ施策をするなら当時の批判について謝罪しろ」という指摘を受け、岸田総理や丸川議員が反省の弁を述べる事態になりました。

でもね、問題の本質はかつての民主党の施策も、現在の自民党の施策も、ともに「愚か者」だということにあるのです。 だって、かつての民主党の施策が日本の少子化対策に繋がらなかったのは歴史が証明していますからね。

批判を恐れず汚い言葉を使うと、「貧乏人に金欲しさに子どもを作らすような施策は社会のためにならない」ってことなんです。

民主党政権が誕生する前夜には、「子ども1人に2万6000円くれるってことは、子どもを10人作れば毎月26万円貰えるってことだ。民主党政権を誕生させて、子ども手当をもらって遊んで暮らそう」なんてささやきが巷（ちまた）から聞こえてきました。

こんなことをしたら、教育環境に恵まれず、生きる力の弱い（この後者の一言を口にすると、『優生思想』って指弾されますので、放送では絶対に言いません）家庭にばかり子どもが生まれてしまいます。

一方、現在日本の社会保障費の大半を負担している中間以上所得層にしてみたら、配布される子ども手当より、税金や社会保険負担のほうがはるかに大きいですから、「子育ては自分の力でやるから、税金や社会保険負担を減らしてくれ」と思います。

つまり、一律配布の子ども手当は、この「生きる力が強い（この表現も優生思想と批判される可能性がありますね）」親のいる家庭にとっては、子どもを作る動機にはならないわけです。

ここで書いたことは、子ども手当や児童手当の充実が、日本の中間以上の所得層にベビーブームをもたらさなかったことで証明済みです。

◆注目すべきは手当の配布ではなく節税◆

それではどんな少子化対策をすべきか?

圧倒的に優れた施策が、例えば、フランスなどで導入済みの「N分N乗方式」です。

フランスではこの施策と同時に、子育てした個人やカップルの年金を増やしました。「年金などの社会保障費を負担する人々を育てたのだから、育てた人の年金を増やすのは当然だ」という発想ですが、日本でこれをやったら、野党やマスコミに徹底的に「差別だ」と叩かれるでしょうね。

フランスの制度では、育てるのは実子である必要はありません。他人の子どもでも、親のない子どもでも、とにかく子どもを育てた人の将来の年金が増えるのです。これって実に公平な施策だと思うのですが、日本では「差別」になってしまうのが不思議です。

例えば妻の年収が400万円、夫の年収が600万円で、子どもが3人いる家庭を考えましょう。日本の現行制度では、子ども3人が夫の扶養家族になって、夫の課税所得は５００万円弱に減額されます。しかし、妻は丸々４００万円に対しての税金と社会保障負担が発生し、夫も５００万円に対して同様に多額の天引きを受けます。

この世帯にとって、子ども３人分の児童手当なんて微々たるもんです。

夫婦合わせて１０００万円の所得のある「ミドルクラス」でも子どもの教育費などを考えると、とても東京23区内にマンションを買うなんて無理です。だって、今東京の中央区など都心６区のマンション価格は、中古の70平米で９８００万円が平均価格ですからね。もう無茶苦茶です。

これがフランス等で導入されている「N分N乗方式」ならどうなるか？

さっきのモデル家庭の場合、世帯年収は１０００万円ですから、この額を、子どもを含む世帯人員の５で割ります（フランスでは第一子、第二子の場合０・５、つまり二人で一人と数えます。このあたりの制度設計にはさまざまな工夫の余地があります。さらに税金だけにこの制度を導入するか、それとも社会保険にも適用するかなどの細かい制度設計こそが政治的課題です）。

こうして得られた数がN（＝５）です。Nは世帯の人数を表します。

このN＝５で世帯年収の１０００万円を割ると一人当たりの収入は２００万円です。

課税の基準をこの200万円をベースに考えます。年収500万円なら、住民税、所得税、社会保険負担などでかなり天引きされますが、年収200万円なら、多くの公的負担は劇的に軽減されます。で、世帯の納付額は、200万円の収入に課される額に世帯人数の5をかけて決めます。これがN乗です。

この方式ですと、子育てしたり、無収入の親の面倒を見ていたりすると世帯が納める公的負担が減る一方、世帯人数が少ない家庭では、通常の公的負担になるわけです。

例えば世帯年収5000万円等の富裕層の場合、普通に税金や社会保険料を払うと、年収の半分くらいを徴収されますが、この世帯が親に恵まれない子どもや実子等6人の子育てをしていて、同時に無収入の高齢の親2人を面倒見ていて世帯人員が10人だとすると、5000万円の年収を10で割って、一人当たりの所得額は500万円になります。これが課税ベースです。

N分N乗方式なら、500万円にかかる税金や社会保険料を計算して、これを10倍すると、それが世帯の公的負担額になります。この方式ですと、「所得が多い」、つまり「教育環境が整い」「生きる力の強い」親のいる家庭でたくさん子どもを作る動機が生まれます。

また、積極的に、高齢の親や、恵まれない子どもを扶養しようとする富裕層が劇的に増えるでしょう。だってこの方式なら、子どもや老親を扶養することが圧倒的な節税効果を生みますからね。一方所得の低い層では、元々世帯の公的負担額が少ないですから、この所得をいくつに割ってもさらなる公的負担減は望めず、この方式では子どもをたくさん持つ動機にはなりません。

この方式では、世帯所得が多ければ多いほど、子どもをたくさん持つモチベーションになるわけです。**ただ、所得の低い層にメリットがないわけではありません。**この制度で生まれるたくさんの「財源の担い手」が、将来、多くの人々の生活を支える社会基盤になるからです。実際にフランスで劇的な効果を発揮したこの方式を日本に導入すれば、日本の少子化や、場合によったら高齢化問題の一部も一気に解消するでしょう。

しかし、日本でこの制度を導入するにはいくつか問題があります。

それは現在の日本では、低所得層の税金や社会保障費の大半が免除されている上に、勤労者世帯の6割がそもそも最低課税水準ですから、この層には制度導入の目先のメリットがないのです。

でもねえ、そもそも、選挙で勝つために日本国民の「多数派」の社会保障負担を軽減、免除する一方で、中間所得以上の「少数派」に加重な負担を押し付ける現在の日本の構造そのものが問題だと気づくべきだと思うんですよね。

そのせいで少子化が進み、国力衰退が止まらなくなっているわけですからね。

つまりN分N乗方式なら、単に子どもの「数」が増えるだけじゃなく、教育環境の整った家庭に、生きる力の強い子どもたちがたくさん生まれる可能性が生じるのです。

これを子どもの「質」と表現すると、日本では完全に差別者扱いされます。私もここでしか言いません。読者の皆さんの中には、文意を曲解する人はいないと信じています。**でも、「差別だ」という批判を恐れてか、マスコミは絶対にこの制度の本当の意味を口にしません。**

とにかく、かつての民主党政権の施策同様、今の岸田政権の施策の延長線上に国力の向上した豊かな日本は見えません。こんなことをしていると日本は滅んでしまいます。

こうした正しい解決方法が社会的に排除される背景には、例えば日本の税金と社会保障費徴収制度に関して、少数者に負担を押し付ける制度が確立していることがあります。

民主主義社会では、政治家は多数派の意見に配慮しないわけにいきません。つまり多数決で物事を決めると、少数者に大きなメリットが生まれる「N分N乗方式」は排除される運命にあるわけです。

正しい施策に必要なのは、多数派を敵に回しても問題解決を図る政治家の「覚悟」ですが、ポピュリスト政権にはそれを期待できません。悲しいですね。

企業宣伝に終始するニュース報道

　最近私が気になっていることは、女性のアナウンサーや有名女性タレント、有名女性スポーツ選手などが、大手企業の「社外取締役」に選任される事象です。

　社外取締役の報酬は会社によっては２００万円以下なんてケースもありますが、これは極々例外で、他の常勤役員並みの報酬が支払われることも珍しくありません。女子アナＯＢなどに年間１０００万円を超える報酬を支払う意味があるのか？　ということ、これがあるんですね。

　もちろん、元女子アナや元女性アスリートで経営センスのある有能な人もいるでしょうから、そんな人が大手企業の経営に参画するのは本質的に意味があることです。でもここで「意味がある」と書いたのは別の趣旨です。

　２０２３年の「骨太の方針」で、東証プライム市場（旧東証一部上場とほぼ同じステイタスです）に上場している企業に対して、２０３０年までに女性の取締役の比率を30％以上とする目標が設定され、その方針が岸田政権で閣議決定されました。

それにしても、小泉・竹中時代に始まった「骨太の方針」が今でも続いているのは驚きです。

これは正式には「経済財政運営と改革の基本方針」と言って、小泉政権における「聖域なき構造改革」の内容を役所に周知徹底するために始められました。**正直私は日本語として「骨太の方針」という語感が気持ち悪いのですが、**一度始めたら慣例を踏襲する役所の習いで、今でも毎年夏前に、年末の予算編成に向けての基本方針として発表されています。

この「骨太の方針」で岸田政権は、大企業の女性役員比率の数値目標を打ち出したのです。

現在日本のプライム市場に上場している大手企業の女性役員比率は11％ほどですから、あと7年でこれを30％以上に引き上げるためには相当な努力が必要です。現状、この政府目標を達成している企業はプライム上場企業の2％に過ぎません。

どうやって目標を達成するのか？　正攻法は社内の女性幹部を役員に引き上げることですが、そもそも管理職に女性が少ない会社では社内で女性の役員人材を確保することが困難です。

そんな文脈で増えているのが、女性の社外取締役なんです。

そもそも社外取締役とは何か？

これは２０１４年の会社法改正で大手企業に選任目標が生じ、２０２１年に選任が義務となりました。

一般的なケースで会社の取締役は、会社の中で選任されたり親会社、子会社から選抜されたりしますよね。しかしこれだと選任された取締役は会社内部の利害や倫理にとらわれて、世間や株主から見ると「間違った道」に進んでしまうことがあり得ます。会社の利益のために、株主などの利益を犠牲にしそうな局面等で、会社の倫理や論理に縛られる傾向にある社内出身の取締役は社の方針に異を唱えない恐れがあるのです。

会社法が社外取締役の選任を義務付けたのは、こうした局面で社内の倫理や論理にとらわれず、客観的で健全な経営判断ができる人材を経営幹部に置くことが目的です。会社法と連動して証券取引所の規定も改正されましたから、現在、社外取締役がいない企業は上場できず、取引所で株を扱ってもらえません。

この社外取締役人材で従来から人気だったのが弁護士、会計士、大学教授などですが、これに加えて、女性の役員比率を増やす意味も加わって、現在、女性のタレントさんやスポーツ選手の取り合いが起きているのです。

◆経営健全化に働くはずの社外取締役だが◆

でもねえ、本音を言わしてもらうなら、多くの女性タレントや女性スポーツ選手が会社法や取引所の規定が目指す本来の役割を果たせるとは思えないんですよねえ。

社外取締役の選任に際して大きな発言力を持つのは結局、会社の社長や会長など、その会社経営に大きな権力を有する人たちです。もっと直截(ちょくせつ)な言い方をすると、「社長のお気に入り」のタレント等を役員のポストにつけて、「それがニュースになって会社の宣伝になればいいいな」程度の意識で選任されるケースが多い印象を私は持っているのです。

こうして選ばれた元人気女子アナや元人気女子スポーツ選手が取締役として優れた能力を発揮して、会社法や取引所の規定が期待する会社経営の健全化に資するケースは極めて稀だと思うのです。**だって、突然自分の人生に何の関係もない会社の役員になって、その会社の経営方針に異を唱えるなんて実際問題としてかなり困難でしょう。**

その上、社長等、社内で大きな権力を持つ人物の「お気に入り」として役員に就任した経緯があるわけですから、そんな状況でその女性が社長の経営方針に楯突くなんて、まず不可能です。

逆に、こうした人材を選任する社長の立場からすると、自分の経営方針に異を唱えないお飾りの女性社外取締役を選任することで、法的規定や「骨太の方針」の要請をクリヤーすることができるわけです。

これって、「会社の健全な経営を促進する」という制度の趣旨に反してませんかねえ。ところが大手のマスコミは「あの有名な元女子アナが○○社の社外取締役に選任された」と好意的に報じます。これって、経営に口を挟まれたくない経営者の思惑通りですよね。

私は、女性の役員比率を30％以上にすると決めただけで中身の議論を置き去りにしている岸田政権の「骨太の方針」は、単にマスコミ受けを狙ったパフォーマンスに過ぎないと思います。

会社が本気で有能な女性を管理職に育て、その管理職の中から適任者を役員にすることで目標が達成されるべきで、社外の有名女性の奪い合いをして、見かけの数字上の辻褄を合わすことを許す現状は間違っています。

その間違った行為に対して、「○○さんが、XX社の取締役に就任しました」と企業の宣伝に一方的に加担する報道しかしないマスコミの姿勢はさらに問題だと思うのです。

暦年課税強化

「暦年課税」という制度を皆さんは知っていますか？　知っている方は、自分である程度の財産をお持ちの方か、あるいは、親が財産を持っている方でしょう。

ほとんど報道されませんでしたが、この制度を使った節税に対して、課税が強化されました。かろうじて制度変更の経緯を伝えた新聞などは、政府の誘導に従って「高齢者から若年層への資産の早期移転を促す狙いがある」なんて書いてますが、これは嘘で、単純な課税強化です。

岸田政権がひどいのは、今回の暦年課税強化に象徴されるように「取りやすいところから税金を取る」「問題を先送りする」というポピュリズムの権化であることです。

安倍政権が岩盤保守層の支持によって長期政権たり得たのは事実ですが、岸田政権は、この層を確保することで延命を図ろうとしています。

新規原発の建設容認や防衛予算増額は、そのための核になる政策です。特にひどいのは防衛予算増額に際して、「当面は赤字国債発行で賄う」としていることです。

2021年9月29日に開かれた自民党両院議員総会で、第27代総裁選出が発表される岸田文雄氏。次回の自民党総裁選は2024年9月に予定されている（写真:時事）。

「当面」ということは、数年後に必ず防衛予算確保のための増税が行われることを意味しています。保守派に支持の高い防衛予算の増額を今やるけれど、国民に不人気な増税は数年遅らせるというわけです。

正に「人気の先食い」政策です。

逆に言うと、「数年後」には自分が政権の座にいないことを想定しての政策で、本人の腹の中には「2024年の総裁選で勝っても、遅かれ早かれ政権を交代することになるが、それまで2〜3年は総理でいたい」って考えがあります。本当にひどい政権です。

◆「上級庶民」にかかる負担◆

今回の暦年課税強化も同じ発想です。

この政策、国民の大半は「関係ないね」って話でしょう。ところが必ずしもそうと言えないのは、同じくひどいポピュリズム政権の民主党政権下で相続税の課税限度が下がり、東京の都市部に持ち家でもあろうもんなら「一般庶民」ですら相続税の対象になりました。

昔は「相続税」なんてお金持ちだけが払うものと思われていましたが、近年都市部の一戸建てなんかに住んでいると、相続税がかかるケースは結構あります。

日本の相続税は世界各国に比べると随分高く、相続額が6億円を超えると55%を税金で持っていかれます。だから海外に移住できる余裕のある「本格的な金持ち」はどんどん相続税の安い海外に移住してしまうのです。これも日本が貧しくなる理由です。

最近、ネットなどで名前の挙がる有名人の中に、海外で暮らす人が増えていますが、正直「お前ら、日本に住んで税金払ってから喋れよ」と思います。

頑張って財産を作った人は、その財産を作るに際して毎年多額の税金を払ってきたわけですから、死んだときに残った財産に課税するのは典型的な二重課税だと思います。しかしそんな声は、「金持ちから税金を取れ」というポピュリズム的意見にかき消されてしまうのです。

本格的な金持ちは海外に節税移住できますが、「主な相続税の発生原因が親の自宅」なんて人はそういうわけにいきません。**結局、中途半端な金を持つ「上級庶民」がこの国の税金の担い手になるわけです**。頑張った人を狙い撃ちにしてひどい目に遭わせる日本の制度が日本の発展を妨げていると言えるでしょう。

今回の暦年課税強化の方針は、ここで書いた「日本の発想」の延長線上の施策です。

暦年課税とは、毎年贈与を受けた額の中から110万円を控除できる制度です。

贈与税率は相続税率より高いですが、毎年110万円の基礎控除があります。つまり110万円まで贈与を受けても贈与税がかからないのです。

これが毎年適用されますから、毎年110万円を誰かの口座に振り込み続けた場合、例えばこれを20年間繰り返すと2200万円無税で贈与できるわけです。

私が世話になっている税理士さんは、**「この制度は、毎年の生活費などを面倒見る**

ケースを想定しているのだから、節税目的でこの制度を使うのは違法で課税対象になる」と主張していますが、実際には110万円までの財産移転に申告義務はなく、日本ではかなりあからさまに相続税の節税対策としてこの制度が使われています。

例えば子どもが3人いる場合、この制度を使って30年間3人の子どもに110万円を贈与し続けると、9900万円、およそ1億円までは無税で財産を子どもに移転できるわけです。この制度を使わずにいきなり1億円を相続すると、かなりの税金を徴収されますから節税効果はかなり高いですよね。

ところがこの制度には制約があります。

死ぬ直前に財産を移転して相続税を逃れることを防止するために、死ぬ直近の3年間の贈与分は相続税の対象になるのです。

だからさっきの子ども3人に毎年110万円ずつ口座に振り込んでいたようなケースでは、死ぬ直近の3年間分、990万円は相続財産に組み込まれて課税されるわけです。この3年が近々7年に延長されます。つまり死ぬ直近の7年間の贈与分が課税対象になってしまうのです。これは明らかな課税強化です。

また、法改正前にはこんなニュースもありました。暦年課税が「税務署に認められなかったケース」です。

代表的なケースはこの暦年贈与（課税）制度を使って子どもに遺贈するために、親が管理する子どもの通帳を作って、そこに毎年110万円ずつ振り込む行為です。

子どもが未成年で、親が子どもの通帳を管理することが合法の場合ちょっと事情は変わってきますが、**子どもが成人していると、このやり方は完全にアウトです。相続時の税務調査でバレると確実に課税されます**。

年間110万円の贈与税控除を使うには、財産を受け取った側が贈与を認識している必要があり、子どもの知らない預金口座に毎年振り込む行為は認定されないのです。

でもこの制度を利用しようという親心は、子どもが知らないうちに多額の残高の預金通帳を作って、例えば父親が死んだ際に、子どもに「お父さんはアナタたちのことを思って、アナタたち名義の預金口座に毎年110万円振り込んでくれていたのよ」って言いたいところにありますよね。これは完全にアウトなんです。

税務調査を受けた子どもが「お父さんがこんな口座を作っていてくれたなんて知らなかった。感激！」なんて言うと100％相続税の課税対象にカウントされてしまいます。

毎年１１０万円を子どもに贈与する場合、子どもの管理する口座に、子どもがハッキリ認識できる形で振り込む必要があります。

「そんなことしたら、子どもが毎年使い切ってしまうだろ！」と思いますよね。そうなんです。正にそれこそが暦年贈与（暦年課税）の非課税限度額１１０万円の趣旨なんです。

また、子どもに財産を渡すに際して「１０００万円を10年間分割で毎年１００万円ずつ渡す」なんていうのも完全にアウトです。この場合、１０００万円の贈与と認定されてしまいます。

◆政府の誘導に乗る新聞◆

ところで今、猛烈なスピードで物価が上がり始めています。

預金に金利が付かず凄いスピードで預貯金の価値が下がっています。消費税は気がつくと10％になり、介護保険、医療保険などの社会保障費の上昇はすさまじいです。

さらに防衛予算確保のために、近い将来確実に年間数兆円の増税が行われます。

それなのに給料も年金も物価上昇に見合うだけ上がっていません。

日本国民はどんどん貧しくなっています。

なぜこんなことになったのか。それは、デフレは原因でなくて結果だったのに、政府と日銀がデフレを止めるための施策しか行ってこなかったからです。たとえて言うなら、癌が原因で出血しているのに、「止血すれば病気が治る」と考えるようなものです。

今の政策を進める与党は大問題ですが、現状を解決できる主張をする野党も見当たりません。この現実を前にして日本を逃げ出さない日本の金持ちはエライと思います。誰か褒めてください……って私は金持ちじゃないですけどね。

新聞は暦年課税の除外期間を3年から7年に延ばすことについて「死ぬ直前じゃなくて、早期に子どもに財産移転を促す施策」と報じていますが、いかに政府の誘導通り新聞記事ができ上がっているかの証左です。ひどいもんですね。

この政策変更の背景には、今年になって、人気のお笑い芸人がテレビ番組で「ウチは節税のために、毎年子どもに１１０万円ずつ振り込んでいる」なんて発言したことがあると睨(にら)んでいます。人気芸人の軽はずみな一言が、徴税強化の原因になったわけです。

皆さん、現政権を放置しておくと、「ケツの毛」まで抜かれますよ。

テレビを巡る新聞社の思惑

先日、読売テレビ時代の後輩が作った社内ベンチャー企業からの依頼で、東京ＭＸテレビに行きました。東京ＭＸテレビは皇居のお堀端にあり、昔は「東條會舘」という結婚式も行われていた建物で営業している、東京で一番新しい放送局です。

ここへ初めて行って、番組スタッフから聞いて一番驚いたのは、この局が東京新聞（中日新聞）の資本系列だということでした。

過去に何度も書きましたが、放送免許は昔「お札を刷る免許」と言われていました。アメリカでも、放送局が儲かる産業であったことは同じですが、歴史を見るとだいぶ事情が違います。アメリカの場合、法規制より先に民間が勝手に放送局を作ったので電波の混信が起きてしまい、既得権益の制限のために法規制が導入されたのです。

元々放送の原理を発見したのはイタリア人のマルコーニですが、「電波」を使って情報を届けることがアメリカで盛んになって、法規制より先にラジオ放送が始まり、そののちに希少資源である電波を国家が管理するシステムが導入されたのです。

日本の場合、放送に関しては初めから国家の関与があり、第二次大戦前にはNHKの電波しか飛んでいませんでしたが、第二次大戦後に民間企業が放送に乗り出すにあたって、国家が民間企業に放送免許を与えて、民間企業に希少資源である電波の独占的な使用権を認めることにしたのです。

アメリカではこの「国家」の役割を、政府から独立した「連邦通信委員会＝FCC」が行っていますが、日本ではGHQの占領解除直後から日本の旧郵政省（現総務省）が行うことになりました。

つまり誰に放送免許を付与するかは日本の官僚が決めることになったのです。官僚の権益が鮮明な時代は、放送業界に旧郵政省の天下りがたくさんいて、東京のテレビ局の社長が元郵政事務次官だったりしました。

先ごろ、国土交通省のOBが民間企業の社長人事に圧力をかけたことがバレてニュースになりましたが、**実はニュースになるのがレアケースで、こんなこと日本では日常の風景なのです。中央官僚はエライのです。**

◆テレビのチャンネルが一つおきだった理由◆

テレビの放送には6メガヘルツという電波の幅が必要です。例えば10メガヘルツから100メガヘルツの電波の間には90メガヘルツの「幅」があり、6メガヘルツの放送波は90÷6＝15で、15本の放送用電波が取れます。

しかし隣同士の周波数は混信の恐れがありますから1本おきに放送免許を与えると、使えるのは半分の7本程度です。

アナログ放送時代、放送チャンネルが一つとびに設定されていたのはそのためです。当時3チャンネルと4チャンネルの間には隙間が作ってあったために、関東では3チャンネルがNHK教育テレビ、4チャンネルが日本テレビに割り当てられていて、隣同士のチャンネルで放送が行われていましたが、これは全国のチャンネル事情からするとかなり珍しいケースです。

通常全国では、関西のように、

2チャンネル＝NHK

4チャンネル＝毎日放送
6チャンネル＝朝日放送
8チャンネル＝関西テレビ
10チャンネル＝読売テレビ
12チャンネル＝NHK教育テレビ
と、一つとびのチャンネル設定になっていました。
私が1980年に関東から関西に移り住んで一番驚いたのは、関東では女性の裸が放送されていた12チャンネルが、NHKの教育テレビに使われていたことです。
ちなみに100メガヘルツから1000メガヘルツまでの間には900メガヘルツの幅がありますから、6メガヘルツの放送用電波は900÷6＝150で、150チャンネル取れます。
人類が使える周波数は技術が進むごとに高くなり、使える周波数が高くなると放送用電波をたくさん使えるようになります。
しかし周波数が上がると直進性が増すので地上波放送用電波としては使いにくく、高い周波数帯は、衛星から地上に電波を降らすときなどに使用します。衛星放送の番組が厚い雨雲などが上空に発生すると途切れるのは、周波数が高い電波は障害物に弱いためです。通常の地上波放送の画質なら6メガヘルツの帯域で放送できますが、4Kなどの超高精細画像を放送するにはもっと広い幅の電波が必要です。

衛星放送には地上波放送のおよそ6倍の約35メガヘルツの帯域がチャンネル1本に与えられています。だから4Kは一部の衛星チャンネルでしか放送されていないのです。デジタル画像のデータ量を減らす画像圧縮技術は年々向上していますが、少なくとも現在の技術と放送設備では、地上波テレビ局が4K画質の放送を開始することはできません。

いずれにせよ電波は限られた資源で、国際的な管理の下、日本が使える周波数の割り当てが行われていて、その割り当てをさらに旧郵政省（現総務省）が民間放送局やNHK、携帯電話会社等に割り当てる作業が行われます。

放送電波は限られた資源ですから、与えられる免許の数には物理的な制限が生じます。なおかつ民間放送を行うには地域のスポンサーの確保など経済基盤が求められます。**経済基盤がしっかりしていないと、まともな放送ができないし、例えば外国政府の息のかかったスポンサーなどに頼ることになると国益を損なうという発想です。**

◆放送免許が生み出した日本とアメリカの格差◆

日本の放送免許は基本的に都道府県ごとに交付されています。例外が、関東、関西、中京地区で、この3地域では、東京や大阪、名古屋の放送局に、都府県をまたいで放送できる広域免許が付与されています。

元々経済基盤の強い地域である上に広域免許が付与された東京の放送局の資金力は大きく、ここがキー局になり、大阪と名古屋が準キー局、それ以外はローカル局としてネットワークが組まれました。

ローカル局は基本的に、1日分の放送内容を自分で作るほどの資金力がありませんので、キー局から番組を貰って放送する構造が構築されます。キー局は地方局に自局が制作した番組をスポンサー付きで放送してもらう代わりに、「放送してくれてありがとう料」を支払います。

こうして日本流のネットワークが完成してゆくのですが、厳密に言うと、日本の法律制度上、いわゆる「東京キー局」は、関東地方の放送免許を取得している「関東ローカル局」に過ぎません。私は、経済基盤のしっかりしている東京や大阪、名古屋では都府県内限定免許にして、九州や東北などの経済基盤の小さいところこそ広域局を認めるべきだったと思うのですが、**このあたり、旧郵政官僚のアタマの悪さゆえに、今の日本のシステムが構築されてしまいました。**

ですから放送局の構造は国によってだいぶ違います。

例えばアメリカのネットワークの親局は放送免許を持っていません。あくまでもネットワークの親局は番組編成を行うのが仕事で、ニューヨークでもロサンゼルスでも、実際に放送するのは、放送免許を連邦通信委員会から付与されたローカル局なのです。

さらにアメリカでは戦後、アメリカ国益の柱とも言えるハリウッドの映画産業を衰退させないために、テレビ局には番組著作権を持たせない施策を取りました。その結果、テレビ局は番組をハリウッドに発注することになり、ハリウッドの映画製作会社が番組の著作権を持つことで、二次利用・三次利用で儲けられる体制ができ上がりました。

日本ではテレビの登場で映画産業が壊滅してしまいましたが、アメリカではテレビの隆盛とともにハリウッドの映画産業も栄えてゆきました。ＩＴ産業が台頭する前、アメリカ経済の屋台骨を支える二大産業は、ハリウッドのソフト産業と、ボーイングに代表される航空宇宙軍事産業だったのです。

逆に日本のテレビ番組は、放送するテレビ局での一次利用しか前提にしていないので製作費が限られ、簡単に言うと「しょぼい」番組しか作れませんでしたが、アメリカはハリウッドの映画産業が二次利用、三次利用を考えて番組を作るので製作費が大きく、結果、ドラマの質などが高くなって、アメリカのテレビ番組が世界で放送される流れを作りました。

産業の未来にとって、国家の関与の仕方って本当に大きな要素です。

特に放送免許のように、国家の関与が絶対に必要な分野の盛衰に、国家の政策決定は死活的に重要な要素なのです。

◆次第に進んだ新聞によるテレビの支配◆

放送開始当時はまだ、テレビ局と新聞社の関係は今ほど明確ではありませんでした。

やがて、官僚と政治家は、テレビの免許を使って新聞を間接支配することを考え出します。

日本の新聞は法的に完全に自由なメディアです。戦前は「新聞紙条例」のような新聞の言論を縛る制度がありましたが、戦後は日本国憲法21条で定められた完全な言論の自由の体現者として、一切の言論制限から新聞は自由になったのです。

ところがテレビ局には「限りある電波資源の使用権を独占的に認められたものの責任」として、政治的公平などが義務付けられました。先ごろ高市早苗さんが国会で追及された放送法の問題ですね。

メディアでは今、倒錯した主張が行われていて、朝日新聞や毎日新聞などのいわゆるリベラル系の新聞社は「放送法は放送局を守るためにある」なんていう主張をしています。

これはあり得ない主張です。

両紙で件の主張をしている人に問います。アナタ、「新聞を守るために新聞法が必要だ」なんて考えますか？　あり得ないでしょ。

放送法は、電波という希少資源を与えられた放送局の言論を制限するために制定されたもので、「放送局の言論を守るために放送法がある」なんて考え方はクレージー

2023年3月20日、参議院予算委員会で質問する立憲民主党の小西洋之議員と答弁する高市早苗経済安全保障担当大臣（写真：時事）。

です。

ところが、日本の自称「メディア学者」も、近年似たようなことを言い始めています。実はこの議論には大きな転換点がありました。

かつて言論界でも学界でも「放送法の政治的公平規定はアメリカの連邦通信委員会が定めた放送局に言論の中立を求めるフェアネスドクトリンを、ＧＨＱが日本に移植するために作ったものである」というのが通説でした。

ところが本家のアメリカでは、ケーブルテレビの普及による多メディア化と、レーガン政権下の規制緩和の流れを受けて「地上波放送局だけに言論制限するのは時代に合わない」と、フェアネスドクトリンが廃止されてしまいます。
これが1987年のことで、それからしばらくは日本のリベラル派のメディアも学界も「日本でも放送法の政治的公平規定は撤廃すべき」という議論が主流だったんです。

ところが日本のリベラル派にとって、不都合なことがアメリカで起き始めます。

それは、フェアネスドクトリン撤廃以降、ラジオなどを中心に、反リベラルの政治的言論を売りにするメディアが台頭し、アメリカのメディアが急速に「右傾化」し始めたのです。この流れを受けてFOXという保守派のテレビネットワークも誕生します。

朝日新聞、毎日新聞を中心とする日本のリベラル言論は、「日本でも放送法の政治的公平の義務付けを廃止すると保守派の言論が台頭するかもしれない」という危機感を持ったわけです。2000年代に入るとこの傾向は顕著になり、「放送法の公平規定は放送局を守るためにある」などという珍奇な説を唱え始めたわけです。

再度問います。新聞を守るために新聞法が必要ですか？

また、日本の保守派は、伝統的に放送局の現状に不満を持っています。

「放送法がある今ですら、日本の放送局はリベラルに偏向しているのに、放送法の政治的公平規定なんか撤廃したら、どこまで偏向するかわからん。放送法の政治的公平規定でもっとテレビ局の言論を縛れないのか⁉」と常に考えています。

つまり、日本の保守派の皆さんは放送法の政治的公平性の撤廃なんか「あり得ない」という立場です。

２０００年代の初頭に毎日新聞は「自民党保守派は、自分に都合のいい言論を放送局に強いるために、放送法の政治的公平性の撤廃を企図している」なんて大誤報を流しました。私は、自民党の保守派の日ごろの言論を知っていたので、この毎日新聞の報道が完全な誤報だとすぐにわかりました。

これが誤報であったことは歴史が証明しています。

私は放送法の政治的公平規定は直ちにアメリカに倣って全面撤廃すべきだと考えています。インターネットやケーブルテレビのように放送法に縛られない動画配信手段がこれだけ普及、多様化した時代に、電波を使う放送局だけに言論制限をかけることに意味はありません。

レーガン政権の各種規制撤廃の後、アメリカ経済と産業が急回復したのは誰の目にも明らかです。日本の発達を阻害している要因の底流に、この放送法問題もあるのです。

また、放送法の政治的公平規定を撤廃しても、各局の報道内容は、そんなに変化しないと思います。**そもそも現在の放送局の現場の人間は放送法なんか意識していませんし、商売という観点からも、あまりに政治的に偏るのはマズイですからね。**

◆衰退する新聞への救いの手◆

話を元に戻しましょう。日本の官僚と政治家は、直接関与できない活字メディアの言論に日常的にアクセスする手段として、各新聞社に一つずつ地上波放送局のネットワークを付与することを考えたのです。

新聞の言論には憲法上、手が出せませんが、放送局には電波法と放送法を使って関与できます。こうして考えると、現行の放送法の政治的公平規定は憲法21条違反の臭いもします。

現在、新聞という産業が衰退の一途をたどる中、各新聞社が持つテレビネットワークの利益は、新聞社にとって救命ボートになっています。この点で見事に、官僚と政治家は新聞社に恩を売ることに成功したと言えます。

ＴＢＳ系列＝毎日新聞

テレビ朝日系列＝朝日新聞

フジテレビ系列＝産経新聞

日本テレビ系列＝読売新聞

テレビ東京系列＝日本経済新聞

実はテレビ朝日やテレビ東京などは、開局当時は新聞系列じゃなかったのですが、ここに書いた企図の下、今では完全に新聞系列に組み込まれ、その利益が新聞社に入る構造が完成しています。

話を、この項の最初に戻しましょう。私が縁あって東京ＭＸテレビに行って一番驚いたのが、この新興の東京ローカル局が中日新聞系列の放送局だと知ったことです。

中日新聞は中京地区のローカル紙ですが、東京新聞はその傘下の新聞社です。

東京で一般的に読まれている新聞の中で、唯一放送局グループを持っていなかった新聞社に東京ＭＸテレビの電波を割り振ったわけですね。これで、東京で読まれているすべての新聞は、放送局を通じて政府の関与を受けることになったわけです。

地上波テレビネットワークがすべて、既存の新聞社の傘下に入るように放送免許を付与されている国は、日本以外では聞いたことがありません。日本の産業がいかに官僚の支配下にあるか、放送局を見るとよくわかります。

優秀な人物が外資系企業に殺到し、二流以下の人材しか官僚にならなくなった国で、官僚が今まで通りの権力を持ち続けたらどうなるか？

日本の現実は、正にその結果と言えるのです。

コロナ5類移行後も残る治療拒否

義理の父が近所に引っ越してきて1年、高齢者と日本の医療をめぐるアレコレを実体験する貴重な機会になってしまいました。

一部はラジオなどでお話ししましたが、**今回時系列でお伝えすることで、コロナをめぐる専門家の嘘や政府の迷走ぶりを浮かび上がらせます。**

なぜ1年前に、義理の父が我が家の近所にアパートを借りて住み始めたのかの説明は省略させてください。これを語るとあまりにもカミさんの実家のプライバシーをバラシ過ぎることになって、間違いなく家庭争議の元になってしまいます。

私は当時「我が家に住んでもらったら」と提案したんですが、ウチの近所に住んでいる義理の妹一家と義理父本人との三者協議で、「身の回りのことが自分で出来る間は、娘二人（カミさんと義理の妹）で日常の世話をしながら一人暮らしする」と決まりました。

80歳を過ぎた高齢男性の一人暮らしが出来るアパート探しで最初の壁にぶち当たり

ましたが、これは娘二人が保証人になることで何とかなりました。

しかし一人暮らしを始めて半年ほどたったある日、義父が近所の公園のベンチの下に倒れているのを発見されて病院に運ばれました。

その病院で「ベンチから落ちて頭を打っていて、脳出血の疑いがある」と診断され、近所の脳外科を予約してもらいました。カミさんの運転する車で脳外科に運んだところ、連絡を受けていた看護師さんがピンクのナース服で迎えてくれました。

ところが、病院の入り口で体温検査をした瞬間、看護師さんの顔色が変わりました。体温計の示す体温が37・5度でアラームが鳴ってしまったんです。

「37・5度以上の熱がある患者さんは発熱外来にまず行っていただくことになっています。そちらにお回りください」と言われてしまいます。

やむなく発熱外来に行って待っていると、さっきピンクのナース服で迎えてくれた看護師さんが、全身防護服姿で現れました。

これには驚きました。思わず「これって意味があるんですか?」と口にしたら、看護師さんは「規則ですから」と答えてくれました。

すぐにコロナの抗原検査が行われ、結果は陰性でした。その後脳外科に運ばれてM

ＲＩの撮影をした結果、脳内出血が確認されました。**そのとき担当医に「なんでもっと早く連れてこなかったんですか？」と言われてしまいました。**

冗談にしてはブラック過ぎます。

このときは出血も少量で、その後軽い認知症の症状が出たものの、命に別状なく退院できました。しかしもしこのとき抗原検査でコロナが陽性だったら、その病院にはコロナ病床がありませんでしたから、義理父は医療難民になって街をさまようことになったはずです。

◆コロナが原因ではないコロナ死者◆

その間にさらに手当てが遅れて最悪死んだ場合、義理の父の死は厚生労働省の通達によって「コロナ死」にカウントされてしまいます。

コロナの症状が全く出ていなくても、死ぬ前、あるいは死後にコロナ感染が確認された場合は、老衰が死因でも「コロナ死」にカウントされるのです。

コロナの感染が広がっていた時期には、義理の父のような事情で治療が遅れて殺されてしまった高齢者が相当数いただろうと容易に想像がつきます。

日本の「コロナ死者数」はこういう数字なのです。日本のコロナ死者の圧倒的多数が、超の付く高齢者であることがこの状況を雄弁に物語っています。

これを知ってか知らずか、連日、新聞やテレビで「今日のコロナ死者数」をまるで「ドラムロールで始まる流行歌のランキング」のように伝えたマスコミは、ホント恥知らずだと思います。

日本のコロナ「第七波」のときに、「高名な女性識者」と話をしていて、「でも、なんだかんだ言っても毎日何百人もコロナで死んでいるんだから怖いわよね」と言われて唖然としました。かなり知的レベルの高い人でも日本の「コロナ死」について勘違いするほどに日本のマスコミ報道はひどかったと言えます。

日本の統計では「コロナで死んだ人」と「死んだときにコロナに感染していたが、コロナ以外が死因」の人を判別できないのです。

さて、治療の甲斐なく認知症症状がひどくなった義父は、一人での生活が困難になり、姉妹が話し合って近所の施設に入所することになりました。

このときも私は「ウチに来てもらったら」と言ったんですが、「世話するのはあんたじゃない」と言われて（まあその通りですね）、姉妹それぞれの自宅から歩いて行ける範囲の施設に入居しました。

それからほどなくして、「施設内で転倒して骨折した」と連絡がありました。施設の車で外科病院に運ばれたんですが、なんと今回は入院前のコロナ検査で陽性が出てしまいました。このとき、コロナの症状は発熱を含めて一切ありませんでした。**コロナに感染していることが発覚した義理父は当然のように「受け入れ拒否」されて、たらいまわしが始まりました。**

その後いったん施設に戻って療養し、検査で陰性が確認されるようになってから入院治療が行われたんですが、その時点で「骨盤骨折」と診断されました。

この間、本人はかなり痛かっただろうと思います。

◆コロナを警戒すべき真の理由◆

私、この事態はかなり問題だと考えています。だって、これは2023年6月のことですよ。

5月の連休明けから、日本ではコロナウイルス感染症は、感染症法上の第5類になりました。第5類というのは季節性インフルエンザ等と同じ扱いになったということです。

骨折で入院する際にインフルエンザの症状が全く出ていない患者を検査して、インフルエンザの陽性反応が出たら受け入れ拒否なんて本来できないはずです。

医師には医師法で「応召義務」というのが定められています。言葉はわかりにくいですが早い話、医師は正当な理由がある時以外患者の治療を拒めないんです。嫌な客には物を売らなくていい他の商売とは違って、日本の医者には患者を治療する義務があります。連休前までコロナウイルス感染症は感染症法上の2類相当とされていましたから、専用の受け入れ施設がある病院以外は患者のコロナ感染を理由に合法的に「受け入れ拒否」ができたのです。

ところが現在コロナ感染症はインフルエンザと同じ扱いですから、感染を理由に医師は治療を拒否することはできないはずです。ところが医療の現場では、連休前の体制が引きずられていて、いまだに「コロナ患者の治療拒否」が堂々とまかり通っているのです。

これって明らかに医師法違反で、厚生労働者は厳しく指導すべきでしょう。

しかし、政府も役所も全く機能していない実態が、義父の一連の騒動で見事に浮き彫りになりました。

コロナ感染症の5類引き下げは、引き下げを求める民意対策という岸田政権のパフォーマンスに過ぎなかったようです。

皆さん、コロナをインフルエンザ並と舐めちゃダメです。

感染していると他の病気の治療が適切に行われずに、コロナじゃなくて制度に殺されてしまいますよ。ひどい話ですが、これが日本の実態です。

新聞と絶望感

新聞を読んでいて、時々絶望的な気持ちになるときがあります。

オリンピックの贈収賄事件や「モリカケ」、カルロス・ゴーンの逮捕のときにも強く感じましたが、新聞って検察などの公権力の広報機関になっちゃってますよね。

これは最近始まったことじゃなくて、過去の冤罪事件でも、事件発生時に検察・警察発表を新聞などが垂れ流して、それを一般市民が100%鵜呑みにして世論が形成され、検察の起訴に応じて有罪判決を出さないと出世に響く裁判官が自動的に有罪判決を出したケースが大半です。

冤罪を生み出しているのは検察・警察だけでなく、マスコミも共犯なのに、後に冤罪が確定した場合に、今度は一転してマスコミは検察・警察批判に転じるわけですから始末に負えません。

私も長らくその末端にいたのですが、私は現役時代に自分が確信できない見解を発信したことがないのが誇りです。

2009年10月大阪高裁は一審を破棄し無罪と判決。笑顔で記者会見に臨むWinny開発者の故・金子勇被告（当時）。のち2011年に最高裁は上告を棄却し、無罪が確定した（写真：時事）。

その点で言うと、2023年3月に映画が公開されたWinny事件なんかいい例ですよね。私は、ニュースキャスターをしていたころに、この事件に関して直接言及したことはないですが、「多くの国でギフテッドとして優遇される天才たちが、日本では犯罪者として処遇される。これは日本の将来を考えたときにあまりにもったいないのではないか？」と現役時代に何度もコメントしています。

このコメントはWinnyに関してではなく、他の事件についての発言だったように記憶しています。とにかく京都府警はWinny事件で日本の天才を犯罪者にしてしまったのです。残念なことに、これは今でも進行中です。

Ｗｉｎｎｙ事件の捜査に当たった警察官・検察官や、一審で有罪判決を出した裁判官が順調に出世していった一方、日本はＩＴやＡＩの分野で決定的に世界に後れを取ってしまいました。日本の司法当局は「国家反逆罪」に問われてもおかしくないと私は考えています。

実はこれから述べる、日本における自動運転技術の開発阻害なども似たケースです。「犯人」は日本の官僚、警察、そしてマスコミです。Ｗｉｎｎｙ事件と極めてよく似ています。

◆役所の暴走を止められないマスコミ◆

私が絶望したのは5月下旬に一斉に報道された「日本におけるレベル４の自動運転の実証実験開始」のニュースです。

２０２３年5月21日、福井県永平寺町で、日本で初めての運転者のいないレベル４の自動運転車の実証実験なるものが始まりました。

2023年5月21日、「レベル4自動運転移動サービスの開始記念式典」で「レベル4自動運転車両」第1便に乗る西村康稔経済産業大臣（前列中央）ら（写真：時事）。

これをあたかも世界の先進技術のように報じる日本のマスコミは頭オカシイです。だってこの「自動運転車」なるもの、ゴルフ場のカートと同様の仕組みで、路上に設置された電線の上をなぞって走るのです。センサーが付いていて障害物で止まるのがウリですが、そんな機能、大昔からゴルフ場のカートにだってあります。

時速12キロで2キロの区間を走るそうですが、実験車に設置されたカメラを遠隔地でモニター監視するのが実証実験の条件らしく、この点でゴルフ場のカート以下と言うしかありません。

仕組み的には私が子どものころに乗っ

た上野動物園の「お猿の電車」と大差ありません。

道路に電線を敷いて、その上をなぞって走る「自動運転車」なんてイマドキあり得ないでしょう。

今ほどコンピュータやセンサーが発達するとは想像できなかった数十年前に日本で考案された「自動運転技術」の基本思想は道路にガイドラインを敷いて、その上を走る技術でした。

同様に信号機の情報を車に送信する技術開発などもいまだに行われています。

道路に電線を引くのも、信号の機能を拡張するのも、道路関係の予算を増やしたい関係者の思惑が背景にあります。これらの技術を追い求めて人生を終えた行政マンや技術者はある意味気の毒ですが、こんな技術、少なくとも今から20年前には捨て去るべきだったのです。

通信機能付き信号機や、道路に敷設した電線などの特別なインフラ整備が必要な自動運転技術なんか世界に通用するはずがありません。そんなインフラに対応した車なんて、日本以外で絶対に売れませんから。

ところが、役所の中に担当者が生まれ、その技術を深化させる技術者が雇用され、予算が付き、世界が自律的に走る本物の自動運転技術に走り出した後も、日本の役所は後ろ向きに走ることをやめられなかったわけです。

本来なら世論が「日本の行政は、電線敷設が必要な自動運転の開発なんかやめろ」となるべきですが、**行政の広報機関となってしまった新聞などは日本の技術が世界で最も優れているような間違った記事を多数掲載して、その結果、まともな世論の形成が阻害されてしまったのです。**

ハッキリ言います。永平寺町の「レベル4の自動運転車」は世界中の笑いものです。遊園地のカートのほうがマシなレベルです。

今、世界は、道路などに特別なインフラや、遠隔地での監視などが必要ない、自動車が自律的に考えて走る「本物の自動運転車」の開発に向かっています。

そうでないと世界で車が売れません。電線敷いてないと自動運転できない車が、インフラの整備されていない外国で売れるはずないですよね。

例えばテスラなどが今何をやっているのかと言うと、すでに販売している電気自動車から走行データを送信させて、運転者がどんなときにどんなハンドル操作をするかなどの莫大なデータを集めています。

日本ではかなり先進的な自動運転を考える人でも「自動運転には精密な道路地図が必要」と考えています。ところがテスラなどがやっている情報収集によって、精密な道路地図なしに自律走行可能な自動運転車が開発されつつあるのです。

それはチャットGPTが文章を作る作業を想像すると認識しやすいでしょう。

この動きはテスラだけでなく、自動運転車の公道実験が大規模に許可されているアメリカ、中国、北欧などで急速に進んでいます。

ところが日本では、遠隔地からの監視付きで、道路に電線が敷かれ、自動運転車走行のために違法駐車などを完全に排除したような環境下でしか走行許可が下りないのです。

マスコミはこの現状を市民にしっかり伝えて役人の暴走を阻止することが必要なのですが、現状は「初のレベル4実証実験」なんて報道ですからどうしようもありません。

皆さん、新聞読んで、それをそのまま信じ込むと確実にアホになりますよ。

おわりに

この本は私の「遺言」です。

私、別に今どこか体に悪いところがあるわけじゃないですが、確実に死に向かっているという実感を日々強くしています。最近驚いたのは、いつものジョギングコースにある「雲梯（うんてい）」が全くできなくなっていることに気が付いたことです。雲梯というのは梯子を横にしたような児童公園定番の遊具で、私が子供のころには二段、三段抜かして猿のように渡っていました。本来は下にぶら下がって平行移動する遊具ですが、私が子供のころはそれでは物足りず、上部を走り抜けて先生に怒られたりしていました。

ところがその雲梯に、今は、両手でぶら下がることまではできても、一段も前に進めません。雲梯というやつは、勢いのついた自分の全体重を交互に片手だけで支えられないと進むことができないんですね。私は、そもそも片手で鉄棒にぶら下がれなくなっているのです。これでは前に進めるはずがありません。その現実に気が付いて、かなり動揺しました。中学生の時に体操部に所属していた私は、バク転、バク宙などの床運動はもちろん、鉄棒も得意種目だったのに、今や鉄棒に片手でぶら下がることすらできないんです。人間、歳をとると確実にできないことが増えて行くことを思い知らされました。

でも我が人生と日本の歩みを俯瞰すると、まあまあ「いい時代」に生きたような気がします。バブルの恩恵を個人的に受けた記憶はありませんが、20代にはそれなりに華やかな街で遊びましたし、私が初めてタイ旅行に行ったときの屋台の麺類の値段は1杯30円程度と、１９８０年代の東南アジア旅行なんて、円の強くなった日本人にとってはタダ同然でした。２００１年に大阪で開業したＵＳＪの年間パスポートは、２回行けば元が取れる1万円程度の値段で購入でき、サラリーマンの昼食はワンコインでお釣りが来るのが当然でした。

ところが今やディズニーランドもＵＳＪも、１日の入場料金は1万円に迫り、ヨーロッパや南米のパックツアーはエコノミークラス利用でも50万円ほどします。タダ同然だった東南アジアツアーも20万円を下回る値段ではなかなか見つけられません。コンビニで値札を見ずに食べたいものを買うと確実に１０００円を超えます。調子に乗ってファミリーレストランで家族４人で食事をすると1万円では間に合いません。しかし、それに見合うほど賃金が伸びていないのは皆さんが誰より感じているでしょう。

最近、日本の平均最低賃金が1000円を超えたとニュースになりましたが、それでも韓国の最低賃金に追いつきません。日本の賃金が今後毎年10％ずつ上がっても、今の為替レートが続く限り、シンガポールの賃金を越えることはないでしょう。

「お湯に入れたカエルは跳び出して助かるが、水を入れて火にかけた鍋の中のカエルは逃げ出すタイミングを失って茹ってしまう」という「茹でガエル」のたとえ話をよく聞きますが、残念ながらこのたとえ話、近年、日本の現状を表現するのに使われることが増えました。

一体なぜこんなことになってしまったのでしょう。この本は、その問いに答えを出すことが目的の一つです。この本が目指すのは、あらゆる側面から日本の現実を深堀し、その解決策を提示することです。

私は希望を失っていません。今なら間に合うことはたくさんあります。

民主主義の日本で、未来を決めるのは国民自身です。日本国民は今、歪んだマスコミ報道によって判断に足るまともな情報を入手出来ず、その結果、正しい未来の選択をできずにいるのです。40年以上の長きにわたって「マスコミ」の住人だった私には、その構図が鮮明に見えます。

私は早晩この世を去ります。だからこそ未来を生きる世代の皆さんには、少なくとも私が体験した以上の明るい世界を体感して欲しいのです。私の次の世代の皆さんが、私たちの世代よりも確実に豊かで幸せな人生を送ることが、私の最大の望みです。冒頭、「この本は私の『遺言』です」と書きましたが、「遺言」が目指すものは「豊かな未来の設計図」です。

縁あってこの本を手に取られた皆さんが、日本の諸問題の現実に気付いて沸騰しつつある鍋から跳び出し、豊かで幸せな明日に向けて歩き出すことを祈ります。

皆さん、歪んだ情報に首まで浸かって茹でガエルになることを全力で回避してください。この本は、茹で上がりつつある日本人に鍋から飛び出すきっかけと力を与えると心から信じています。

辛坊治郎

〈著者略歴〉
辛坊治郎（しんぼう　じろう）
1956年大阪府出身。早稲田大学法学部卒業後、讀賣テレビ放送に入社。プロデューサー・報道局解説委員長等を歴任し、現在は大阪綜合研究所代表。「そこまで言って委員会NP」「ウェークアップ！ぷらす」「朝生ワイドす・またん！」「辛坊治郎ズームそこまで言うか！」などのテレビ・ラジオ番組で活躍。近著に『この国は歪んだニュースに溢れている』（PHPエディターズ・グループ）、『風のことは風に問え―太平洋往復横断記』（扶桑社）などがある。

この国は歪んだニュースに溢れている2
日本を覆う8割の絶望と2割の希望

2023年9月13日　第1版第1刷発行

著者　辛坊治郎
発行者　岡修平
発行所　株式会社ＰＨＰエディターズ・グループ
〒135-0061　江東区豊洲5-6-52
☎03-6204-2931
https://www.peg.co.jp/
発売元　株式会社ＰＨＰ研究所
東京本部　〒135-8137　江東区豊洲5-6-52
普及部　☎03-3520-9630
京都本部　〒601-8411　京都市南区西九条北ノ内町11
PHP INTERFACE　https://www.php.co.jp/
印刷所
製本所　凸版印刷株式会社

ISBN978-4-569-85532-5